MA MAISON MODE D'EMPLOI

Les Éditions Caractère inc.
5800, rue Saint-Denis, bureau 900
Montréal (Québec) H2S 3L5 Canada
editionscaractere.com

Révision: Chantal Brousseau
Correction: Maryse Froment-Lebeau
Conception de la couverture et grille intérieure: Pige communication
Illustrations (systèmes et composantes du bâtiment): Étienne Prud'Homme
Illustrations (couverture et ouvertures de chapitres): shutterstock.com

ISBN: 978-2-89642-957-8
Imprimé au Canada
© Les Éditions Caractère inc.
Dépôt légal – Bibliothèque et Archives nationales du Québec, 4e trimestre 2014

Les Éditions Caractère inc. remercient le gouvernement du Québec – Programme de crédit
d'impôt pour l'édition de livres – Gestion SODEC.

Nous reconnaissons l'aide financière du gouvernement du Canada par l'entremise du Fonds
du livre du Canada (FLC) pour ce projet.

Nous remercions également la SODEC de son appui financier (programmes Aide à l'Édition
et Aide à la promotion).

Annie St-Amour

MA MAISON
MODE D'EMPLOI

**Tout ce que vous devez savoir sur votre maison
sans avoir à demander à votre beau-frère !**

Sachez quand il faut *vraiment* appeler
un pro à la rescousse !

TABLE DES MATIÈRES

À PROPOS...

... des informations contenues dans **Ma maison mode d'emploi** : l'auteure s'appuie sur sa formation et sur son expérience personnelle. Elle s'est aussi assurée de la validité de toutes les informations transmises dans ce livre en consultant des spécialistes du bâtiment accrédités. Il se peut que les descriptions et les recommandations publiées dans cet ouvrage divergent des explications et des conseils de votre beau-frère : à vous de suivre votre instinct. Notez que les Éditions Caractère se dégagent de toute responsabilité concernant l'application que vous ferez des conseils de l'auteure.

... du choix éditorial de transmettre les mesures selon le bon vieux système impérial, plutôt que le système métrique (système international) : même si ce dernier prévaut au Québec depuis les années 1970, le monde de la construction y résiste farouchement et s'exprime encore en pieds et en pouces. Nous avons décidé d'être conséquents, surtout pour alléger le texte.

... des sujets traités dans les 12 chapitres : si les questions du livre figurent parmi celles les plus fréquemment posées aux professionnels de la construction, elles n'ont pas la prétention de couvrir l'ensemble de la matière... mais c'est un bon début !

1

FONDATION ET DRAINAGE

LE DRAIN DANS L'HISTOIRE

On parle souvent de drain français ou de drain agricole pour désigner le tuyau de drainage installé aux pieds des fondations d'un bâtiment. Selon toute vraisemblance, l'expression tirerait son origine du nom d'un agriculteur du Massachusetts, Henry French, qui, au milieu du XIXe siècle, a publié un livre détaillé sur le drainage des terres agricoles. Les principes élaborés dans l'ouvrage ont par la suite été repris dans le domaine de la construction et le terme «French Drain» est devenu dans le langage d'ici «drain français». Toutefois, le terme approprié est «drain de fondation» ou «drain de dispersion».

L'utilisation des drains est somme toute assez récente. Bien que certaines maisons construites dans les années 40 en fussent parfois équipées, ce n'était pas courant. Les premiers drains étaient composés de terre cuite ou de tuiles en béton. À l'époque, les sous-sols faisaient office de cave de service ; ils n'étaient pas habités. Qu'ils soient humides importait donc peu. Les choses ont commencé à évoluer quelques années plus tard, quand les gens désireux d'agrandir leur maison ont entrepris d'aménager leur sous-sol afin d'en faire un espace de vie ; l'installation de drains est donc devenue la norme. Le drain «Big-O» tel qu'on le connaît aujourd'hui a fait son entrée sur le marché à la fin des années 60.

LE DRAIN DE FONDATION – PRÉSENCE OU NON

Comment déterminer si une maison construite dans les années 60 est munie d'un drain ?

La présence d'un puisard situé au sous-sol est un bon indice (et non pas une certitude) qu'un drain a été installé autour du bâtiment dans le passé. Le puisard sert à récupérer l'eau qui circule dans le drain français ou à canaliser l'eau qui arrive sous la dalle située sous le bâtiment. Si un conduit de 4 po débouche à l'intérieur de la fosse, du côté d'un mur extérieur, on peut supposer qu'il y a un drain. On ne le voit évidemment pas. Est-il bien là ? Et s'il y est, est-il encore fonctionnel ?

La durée de vie d'un drain de fondation varie entre 25 et 50 ans. Comment expliquer une différence du simple au double ? Tout dépend de la qualité du sol, du type de drain ainsi que des débris qui ont été entraînés avec l'eau au fil des années. Certains drains installés depuis moins de 25 ans peuvent s'être affaissés alors que d'autres tiennent encore le coup. Par contre, comme c'est le cas pour la majorité des matériaux utilisés dans la construction de bâtiments, celui composant le drain deviendra éventuellement désuet. Plus les années passent, plus il devient cassant.

Si le drain date des années 60, il est fort probable qu'il ait atteint la fin de sa vie utile. On recommande qu'une inspection préventive au moyen d'une caméra soit effectuée, et ce, même s'il n'y a pas de signes révélateurs d'une problématique. Cette procédure permettra de prendre connaissance de tout affaissement ou d'obstruction. Si le drain s'est affaissé par endroits, il faut simplement remplacer les sections endommagées. S'il n'est pas continu (ce serait le cas des vieux drains composés de tuiles), il faut alors opter pour le remplacement complet du système, ce qui implique de creuser en profondeur tout autour du bâtiment.

Il est important de mentionner que l'absence d'un drain autour d'une fondation n'est pas une déficience. En effet, la propriété peut être assise sur un sol qui se draine bien, assurant ainsi que le sous-sol soit exempt d'humidité. Car c'est en présence d'un sol humide que l'installation d'un drain s'impose. L'important, c'est d'assurer l'imperméabilité des fondations.

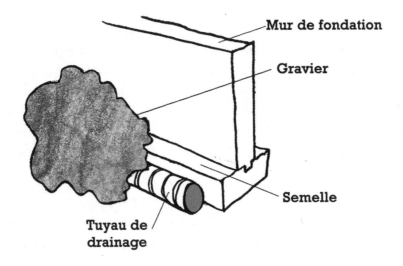

Mur de fondation

Gravier

Semelle

Tuyau de drainage

LE DRAIN DE FONDATION – EFFLORESCENCE

En détruisant les murs du sous-sol lors de travaux de rénovation, nous avons remarqué la présence d'une trace blanchâtre située sur la partie inférieure du mur de fondation. Quelle en est la cause ?

Lorsque cette trace blanchâtre, appelée efflorescence, est visible sur la surface inférieure d'un mur de fondation, on pense généralement que le drainage autour du bâtiment est déficient. Il faut cependant éviter de faire de telles conclusions hâtives et investiguer davantage : la cause n'est peut-être pas la désuétude du drain, mais plutôt le niveau élevé de la nappe phréatique. Et, malheureusement, la hauteur de la nappe, c'est une chose sur laquelle on a bien peu de contrôle...

Une autre piste à explorer est la présence d'une fuite d'eau dans la salle de bains du sous-sol ; on ne voit pas d'eau à proprement parler, mais des indices témoignent de sa présence. Car l'efflorescence témoigne d'une infiltration d'eau ou d'un taux d'humidité élevé dans le béton.

Lorsque l'efflorescence se manifeste sur la partie supérieure des murs de fondation, soit du centre vers le plafond, on attribue généralement le phénomène à une mauvaise évacuation de l'humidité présente dans le béton. Ce problème est particulièrement fréquent dans les bâtiments construits avant le milieu des années 80 et dont le sous-sol est aménagé. En effet, l'ossature murale adossée à la fondation était autrefois isolée avec du polystyrène expansé (*styrofoam* blanc), un isolant en panneaux non étanche et non coupe-vapeur ; ce dernier ne permettait donc pas à l'humidité de circuler, donc elle restait emprisonnée dans le mur de béton.

LE DRAIN DE FONDATION INTÉRIEUR

Je doute de l'efficacité du drain installé autour des fondations de ma résidence. Peut-on corriger la situation sans avoir à creuser tout autour du bâtiment?

Lorsqu'on procède à l'installation d'un système de drain intérieur, on le fait généralement pour pallier des problématiques liées à la nappe phréatique. Souvent, un drain extérieur est déjà en place autour des fondations, mais ce n'est pas suffisant. Un drain intérieur est donc nécessaire pour aider à mieux gérer la hauteur de la nappe phréatique ou des eaux souterraines susceptibles de se retrouver sous la dalle.

Il s'agit de travaux importants et relativement coûteux, qui nécessitent parfois la pose d'une membrane sur la face intérieure des fondations; la destruction des murs du sous-sol (s'ils sont finis) peut donc être nécessaire. Et cela ne signifie pas que le problème d'infiltration sera réglé. La meilleure façon de régler un problème d'infiltration d'eau au sous-sol est d'installer la membrane du côté extérieur de la fondation, ce qui veut dire qu'il faudra creuser. Il est fortement conseillé de retenir les services d'un spécialiste en fondation et en drainage, qui effectuera les travaux au moyen de la machinerie appropriée.

LE CUVELAGE

Le cuvelage est nécessaire lorsque les eaux souterraines sont susceptibles de poser problème à la fondation. Cette procédure doit être effectuée au moment de la construction du bâtiment ; elle ne s'applique pas à une maison existante. Le cuvelage consiste à envelopper la fondation d'une grosse membrane avant de la déposer sur le sol. En d'autres mots, elle passe le long des murs de la fondation ainsi que sous la dalle de béton.

Qui dit eaux souterraines dit pression hydrostatique sur la dalle : cette dernière doit donc être armée (béton renforcé avec des tiges d'acier). La dalle devient en quelque sorte structurale, non pas parce qu'elle soutient les charges de la structure, mais parce qu'elle doit résister aux pressions qui viennent d'en dessous. Elle ne doit donc ni se fissurer ni se soulever. Il est recommandé d'armer la dalle lorsque le terrain est situé dans une zone inondable où la construction est permise.

L'EFFRITEMENT DU BÉTON

J'ai noté une accumulation de poudre granuleuse au pied du mur de béton de la fondation. Le béton est-il en train de s'effriter ?

L'effritement du béton est un phénomène que l'on remarque dans les maisons dont la construction remonte aux années 20 et 30. Il faut savoir que les mélanges utilisés à l'époque étaient d'une piètre qualité et que les fondations composées de ce matériau vieillissent mal. Dans les cas les plus graves, il n'y a pas que la surface qui est friable : on peut insérer la lame d'un tournevis dans le mur, et on peut même parfois creuser jusqu'à y passer la main. Dans le cas où le béton daterait des années 50 et 60 et qu'on remarque un effritement de la surface, il faut alors soupçonner un surplus d'humidité.

Si le béton s'effrite seulement en surface, il n'est pas nécessaire de tout refaire le mur, bien qu'il faille régler la problématique. Est-ce que l'excès d'humidité résulte d'un mauvais drainage ? Y a-t-il une infiltration d'eau quelque part ? On doit chercher et intervenir. Par contre, si toute l'épaisseur du mur de béton est compromise, cela signifie qu'il y a un problème de structure. À partir du moment où une fondation ne peut plus supporter les charges qui lui sont transmises, il faut y voir. Et dans le cas d'un béton de mauvaise qualité, comme ceux de l'avant-guerre, la seule option possible est une réfection complète.

Lorsqu'on constate que le béton d'une fondation est friable et se désagrège, la meilleure chose à faire est de retenir les services d'un ingénieur en structure, qui pourra notamment recommander un test d'impact. Ce test, réalisé au moyen d'instruments spécialisés, permet de déterminer la dureté du béton et de s'assurer qu'il ne pose pas de danger « structurellement parlant ».

LE CRÉPI ENDOMMAGÉ

Au printemps, en faisant l'entretien extérieur de la maison, j'ai remarqué que le crépi s'était détaché par plaques à deux ou trois endroits. Dois-je m'empresser de le faire réparer ?

Le crépi appliqué sur la partie hors sol d'une fondation n'est pas étanche à l'eau. C'est pourquoi il n'est pas considéré comme un revêtement extérieur. Le crépissage d'un mur en béton est essentiellement esthétique : il ne protège pas la fondation. Comme il ne s'agit que d'une finition, le Code du bâtiment ne l'oblige pas.

Peu flexible et sensible aux cycles de gel et de dégel, le crépi finit souvent par se fissurer et peut se détacher en petites plaques. Si la finition est endommagée par endroits, c'est peut-être parce que l'enduit adhère mal au béton (l'efflorescence, entre autres, nuit à l'adhérence). Il suffit de le réparer (partiellement ou entièrement, selon le cas). Et bien que, a priori, il n'y ait aucune raison de s'alarmer pour un peu de crépi abîmé, il est toujours bon de garder l'œil ouvert afin de surveiller l'apparition de fissures dans le béton qui, elles, pourraient se révéler plus problématiques.

Notez qu'en présence d'une fondation composée de blocs de béton, l'application d'un crépi est nécessaire afin d'offrir une certaine protection contre les infiltrations d'eau en raison des nombreux joints qui composent la surface. Cette protection est cependant imparfaite, car le crépi reste un matériau poreux que l'eau finit souvent par traverser.

LES FISSURES – MUR DE FONDATION

Qu'est-ce qui cause l'apparition soudaine de fissures sur le mur de fondation?

Êtes-vous bien certain que les fissures n'étaient pas présentes l'année précédente? Les gens sont parfois convaincus qu'une fissure vient de faire son apparition alors qu'elle y était déjà.

Avant de s'en faire, il faut déterminer quel est le type de fissure. Il y a les fissures «standards», qu'on appelle fissures de retrait, qui se forment généralement dans les deux ou trois années suivant la cure du béton (la protection du béton contre la perte trop rapide d'humidité pendant la période de séchage). Des fissures peuvent donc apparaître avant que la cure ne soit complète. Parfois, elles sont déjà présentes, mais non visibles sur le crépi. Puis, à la suite d'un léger mouvement des fondations, elles se manifestent.

Il faut s'inquiéter davantage de la taille de la fissure plutôt que de l'année de son apparition. Les fissures ont-elles une largeur de moins de 1/8 po ou sont-elles plus larges? Une maison construite il y a plus de trois ans présentant une fissure d'une largeur de plus de 1/8 po, ou simplement une fissure qui est apparue du jour au lendemain, doit être inspectée par un expert afin de s'assurer qu'il n'y a pas de problématique. Il peut s'agir d'un mouvement du sol, d'une fondation dont la qualité est douteuse, etc. Il vaut mieux faire analyser la situation.

Lorsqu'il est question de fissures d'une largeur de moins de 1/8 po dont on ne connaît pas l'historique, il faut surveiller leur évolution afin de déterminer si elles sont «actives» en les mesurant et en notant leur emplacement. Il s'agit donc d'un suivi à long terme. L'année suivante, on compare les résultats. S'il y avait deux fissures l'année précédente et on en compte maintenant quatre, l'apparition de ces nouvelles fissures est révélatrice d'une problématique. Si les fissurent s'élargissent à l'intérieur d'une période de trois mois, il y a aussi quelque chose d'anormal. Cependant, si elles demeurent stables, on peut supposer qu'il s'agit de fissures de retrait apparues «sur le tard» et il ne faudra les réparer que si l'eau est sujette à s'y infiltrer.

Quelle est la différence entre une fissure horizontale et une fissure verticale ?

Les fissures ne témoignent pas des mêmes problématiques selon qu'elles sont verticales, diagonales ou horizontales.

- **Une fissure verticale** est davantage associée à une fissure de retrait, qui est souvent sans conséquence. Règle générale, quand une fissure a une largeur de moins de 1/8 po, il suffit de la colmater ; lorsqu'elle présente une largeur de plus de 1/8 po, il faut la réparer puis surveiller si elle est active ou non. À compter d'une largeur de 1/4 po, on recommande de faire faire une expertise. La fissure peut résulter d'un tassement de sol ou d'une mauvaise répartition des charges.
- **Une fissure horizontale ou en diagonale** représente un problème. De fait, à l'horizontale, c'est obligatoirement un problème d'origine structurale. Ce type de fissure est souvent accompagné de renflements, de courbures et d'inclinaisons. Une poussée anormale des terres (pressions hydrostatiques), une adhérence d'un sol gélif sur la fondation (qui se dégrade sous l'effet du gel) combinée au phénomène de soulèvement, ainsi qu'un remblai hâtif des fondations sont quelques-uns des facteurs en cause. En présence de fissures horizontales, les risques d'effondrement sont à craindre. Il faut donc renforcer la structure : ce sont des travaux qu'il faut confier à un expert.

LES FISSURES – RÉPARATION

Lorsque l'eau s'infiltre par une fissure dans un mur de fondation, peut-on réparer cette fissure de l'intérieur ?

Quand la réparation d'une fissure est effectuée à l'extérieur, le colmatage est effectué au moyen d'une pâte-ciment hydraulique. Une membrane de type élastomère est ensuite appliquée sur le mur de fondation jusqu'à la semelle afin de recouvrir la brèche. Une fois enfouie sous la terre, cette membrane élastique et durable offre une protection supplémentaire contre l'infiltration d'eau. Cette méthode est fortement recommandée lorsqu'il s'agit d'assurer l'étanchéité de la fondation. Et contrairement à ce que l'on pourrait croire, ces travaux sont peu complexes et peu coûteux, du moins lorsqu'il n'y a pas d'autres problèmes concomitants. En effet, le spécialiste en fondation creuse le sol au moyen d'une mini-excavatrice (communément appelée *bobcat*) à l'emplacement de la fissure, puis répare et remblaye. Le travail est vite fait et la facture ne devrait pas dépasser 1000 $.

Cependant, le scénario est tout autre si l'entrepreneur doit démolir une terrasse, enlever une allée dallée ou défaire un aménagement paysager pour faire la réparation par l'extérieur. Il faut alors prévoir au budget les frais de reconstruction et de réaménagement, ce qui se soldera par une facture un peu plus salée. Dans un cas comme celui-ci, il peut être plus économique et surtout moins compliqué de procéder par l'intérieur. En supposant que le sous-sol est fini, il faut ouvrir un pan de mur afin de dégager une ouverture d'une largeur d'environ 2 pi à l'endroit où est située la fissure. Ensuite, pour la colmater, il suffit d'injecter sous pression un produit à base d'époxy ou d'uréthane. Le premier est utilisé pour la réparation des fissures considérées comme structurales ; autrement, on privilégie l'uréthane giclé. Ce produit prendra de l'expansion et remplira complètement la fente.

LES FISSURES – DALLE

Nous avons remarqué l'apparition d'une fissure sur la dalle du plancher du sous-sol de notre maison, qui a été construite récemment. Doit-on s'en inquiéter ?

Contrairement aux murs de fondation, la dalle de béton du sous-sol n'est pas structurelle (sauf exception). Pour l'un comme pour l'autre, il est cependant difficile de contrer la formation de fissures. Sachant que la plupart des fissures répertoriées sur une dalle sont sans conséquence, il faut savoir faire preuve d'une certaine tolérance. Ce sont, on l'a déjà dit, des fissures de retrait ; elles font généralement leur apparition dans les mois, voire les deux ou trois premières années suivant la coulée du béton. On les observe surtout à l'emplacement des puisards et des avaloirs de sol, plus précisément au niveau des ouvertures pratiquées dans la dalle. Elles naissent à cette ouverture pour ensuite fuir vers le coin d'un mur. Si les fissures sont minces, qu'elles ont toujours été là, qu'elles ne se sont pas élargies ni allongées et que leur nombre est stable depuis les dernières années, il n'y a aucune raison de s'en faire.

Il faut par contre se méfier des fissures présentes sur une dalle lorsqu'elles sont nombreuses, qu'une trace d'eau ou d'efflorescence est visible et qu'on peut observer un décalage (un soulèvement de la dalle) laissant soupçonner un mouvement de sol ou un cas de pyrite. Devant un tel constat, il vaut mieux consulter un spécialiste en structure qui sera en mesure d'effectuer une évaluation fiable.

LES SOLS ARGILEUX

Les sols argileux (incluant les limons) sont probablement les plus capricieux d'entre tous. Ils se distinguent par leur teneur élevée en eau, qui leur assure une bonne stabilité. Parce qu'ils sont gorgés d'eau, ils sont sensibles au gel et à la sécheresse. Un été chaud et sec peut parfois faire toute la différence. En l'absence prolongée de précipitations, un sol argileux perd son humidité et s'assèche ; ce faisant, il se contracte et s'affaisse. Dur coup pour les fondations qui y sont érigées... Souvent, le problème se manifeste au moment où la période estivale tire à sa fin. Les propriétaires constatent alors l'apparition de fissures sur les murs, les plafonds ainsi que le parement en brique de leur maison. Malheureusement, le mal est fait. Les dommages peuvent être suffisamment graves pour nécessiter d'importants travaux de stabilisation (pieutage).

Les arbres matures plantés à proximité de la maison et dont le système racinaire soutire l'eau du sol, tout comme les surfaces pavées environnantes qui détournent les eaux de ruissellement vers les égouts plutôt que vers la nappe phréatique, peuvent être considérés comme des facteurs aggravants. Le choix d'un arbre approprié (certaines espèces à croissance rapide sont à proscrire) et l'endroit de sa plantation (loin de la fondation !) font d'ailleurs partie des solutions à envisager pour éviter de «déshydrater» le sol autour de la maison. Des systèmes d'irrigation en profondeur peuvent aussi contribuer à maintenir l'humidité autour des bâtiments.

LA PYRITE

La pyrite est un minéral présent dans la pierre de remblai qui s'oxyde au contact de l'humidité et de l'oxygène. La réaction entraîne un gonflement du remblai qui, lui, peut causer le soulèvement et la fissuration de la dalle de béton.

Une fissure en forme d'étoile, des traces d'efflorescence ou une dénivellation sont des indices permettant de soupçonner un problème de pyrite. Or, il suffit de mentionner le mot pyrite pour s'imaginer le pire! On se remémore les cas les plus médiatisés et on pense être aux prises avec des désordres majeurs. Cependant, les dégâts peuvent être plus ou moins graves, ou du moins localisés. Aussi, même si les indices visuels sont présents et que les dommages sont évidents, il n'est pas impossible que la problématique soit tout autre. Par exemple, il peut s'agir de l'affaissement d'une dalle ou d'un bris causé par les pressions exercées par la nappe phréatique. Pour en avoir le cœur net, il faut faire analyser le remblai: c'est la seule façon de vérifier la présence de pyrite. Il existe deux types de tests spécifiques à la pyrite.

- **L'IPPG (Indice pétrographique du potentiel de gonflement)** est le test habituellement effectué conclu dans le cadre d'une transaction immobilière. Il vise à déterminer le potentiel gonflant du remblai. Les résultats sont présentés sur une échelle de 0 à 100; la fourchette entre 0 et 10 représente un potentiel de gonflement négligeable, alors que celle entre 81 à 100 indique un risque extrêmement élevé. Il faut toutefois savoir que l'IPPG, qui fait l'objet d'un protocole d'expertise, est une évaluation du potentiel de gonflement. Ce test est donc effectué au moyen de l'analyse des prélèvements effectués à l'aide d'un carottier à béton, et il n'est valable qu'à l'endroit où les échantillons ont été prélevés. Cet examen consiste à l'examen visuel du granulat, sans s'attarder aux particules fines. Pourtant, leur réaction peut faire toute la différence. Les données sont donc en quelque sorte plus ou moins fiables : un IPPG dont la valeur est comprise entre 0 et 10 n'est pas l'assurance qu'il n'y aura pas de problème de pyrite. Les experts en laboratoire sont très clairs à ce sujet.

- **Les analyses chimiques** sont plus rares, mais beaucoup plus concluantes. Elles permettent notamment de déterminer le type de pyrite et sa quantité, ainsi que le pourcentage qui a déjà réagi. Selon les conclusions tirées, le rapport indiquera dans quelle mesure il faut intervenir pour corriger le problème.

L'INFILTRATION D'EAU

Quelles sont les causes les plus fréquentes d'une infiltration d'eau dans un sous-sol ?

La hauteur de la nappe d'eau, les fissures présentes dans un mur de fondation et un mauvais drainage autour du bâtiment sont les trois principales raisons pour lesquelles l'eau risque de s'infiltrer dans un sous-sol. En ce qui a trait au drainage, on pense immédiatement à une déficience du drain, mais il faut aussi considérer l'inversion des pentes de sol vers le bâtiment ainsi que les gouttières qui évacuent l'eau dans les coins de la maison, au pied des fondations. Ces deux derniers facteurs sont souvent peu considérés, mais il n'est pas rare qu'ils soient à l'origine d'une infiltration.

À partir du moment où l'infiltration est visible, il est possible de remonter jusqu'à la source afin d'apporter les correctifs nécessaires pour mieux la contrôler et pour mieux réguler le taux d'humidité présent dans le sous-sol. Mis à part quelques dégâts matériels, il est peu probable que cela mette la santé des occupants en jeu. Toutefois, quand l'infiltration se fait à l'insu des propriétaires et que la situation perdure depuis nombre d'années, la prolifération des moisissures altérera la qualité de l'air et affectera la santé des occupants.

LE PUISARD

Nous n'avons pas de puisard dans notre sous-sol. Son installation est-elle recommandée, voire obligatoire?

Les statistiques sont là pour le prouver: le nombre de réclamations auprès des assureurs pour des dommages causés par des inondations au sous-sol est à la hausse. Or, un moyen efficace de prévenir les problèmes d'inondation est d'installer un puisard muni d'un clapet antiretour. Le puisard est constitué d'une fosse de captation creusée dans la dalle de béton, à proximité d'un mur de fondation, et sert à collecter l'eau en provenance du drain de fondation. Cette eau est ensuite redirigée à l'extérieur grâce à une pompe de puisard (la *sump pump*). L'eau pompée peut ainsi être acheminée vers le réseau pluvial municipal par le biais d'un tuyau de vidage qui y est raccordé, ou elle est évacuée vers un puits sec ou vers un endroit reculé de la propriété, pourvu qu'elle ne se déverse pas sur le terrain du voisin.

Ce ne sont pas toutes les municipalités qui obligent leurs résidents à installer un puisard au sous-sol de leur maison. Pour le savoir, il faut consulter la réglementation municipale. L'absence de puisard n'est pas nécessairement problématique et fait peu de différence si le terrain est en pente, ou si le drain autour des fondations est fonctionnel et que l'eau est évacuée loin de la maison.

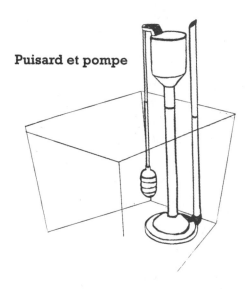

Puisard et pompe

LA POMPE DE PUISARD – FRÉQUENCE

La pompe de puisard de mon voisin démarre souvent après de grosses averses, alors que la nôtre ne fonctionne presque jamais. Pourquoi?

Le terrain de votre voisin est-il plus bas que le vôtre? Dans l'affirmative, il faut savoir que la situation est tout à fait normale. Lorsqu'il pleut, le terrain le moins élevé est bien sûr celui vers lequel l'eau de ruissellement s'écoulera naturellement. Le sol autour du bâtiment se gorgera rapidement d'eau et le drain (en supposant qu'il est fonctionnel) acheminera l'eau jusqu'à la fosse du puisard, ce qui fera démarrer la pompe. En excluant l'idée que la pompe soit défectueuse, la principale raison pour laquelle elle s'active souvent s'explique par l'excès d'eau présent autour des fondations. Outre la topographie du terrain, il faut considérer la hauteur de la nappe phréatique, l'inversion des pentes qui dirigent l'eau vers la maison et le déversement des gouttières au pied des fondations: ces éléments influencent la quantité d'eau présente dans le sol et font en sorte que le drain est sollicité davantage.

 Conseil

Votre pompe s'actionne très (trop) souvent? Il est possible de régler le mécanisme du flotteur afin d'espacer la fréquence de démarrage automatique.

LA POMPE DE PUISARD (*SUMP PUMP*)

Lorsque le drain disposé autour des fondations est très sollicité (à la fonte des neiges ou à la suite d'une forte pluie), le niveau d'eau monte dans la fosse de retenue du puisard, entraînant le flotteur vers le haut. Une fois rendu à un certain niveau, il actionnera l'interrupteur de mise en marche de la pompe; l'eau est alors aspirée dans un tuyau et rejetée à l'extérieur (vers le réseau ou le terrain).

On distingue deux types de pompe: le modèle submersible standard, qu'on installe au fond du bassin, et le modèle sur colonne, dont le moteur se trouve au-dessus du bassin. La première est plus efficace et plus silencieuse. Lorsqu'une pompe est alimentée au moyen de l'électricité, il est bon de pouvoir compter sur un dispositif autonome qui sera en mesure de prendre la relève en cas de panne. Le marché offre aussi des pompes de secours alimentées avec des piles ainsi que des pompes fonctionnant sur le principe de Venturi.

 Conseil

Il est conseillé de nettoyer le puisard chaque année afin de retirer les débris qui s'y sont accumulés. L'hiver est le meilleur moment pour s'acquitter de cette tâche. Il est aussi recommandé de vérifier régulièrement le fonctionnement de la pompe, plus particulièrement à l'arrivée du printemps, et ce, jusqu'avant la fonte des neiges.

2
TOITURE

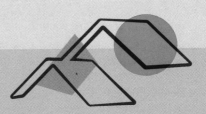

LE TOIT, UN EXERCICE MATHÉMATIQUE !

- **L'inclinaison**

La pente d'un toit est souvent exprimée en fraction plutôt qu'en degrés d'angle. Cette fraction, qui est un rapport de hauteur et de longueur, correspond à la distance mesurée entre le point le plus haut et le point le plus bas d'un toit sur un parcours horizontal de 12 pouces ou de 12 pieds, selon le cas. C'est pourquoi on parle de pentes de 3/12, 4/12, 6/12, etc.

Un toit est considéré comme plat si son rapport se situe entre 0/12 et 2/12, il est à faible pente s'il varie entre 2/12 et 4/12, et il est à pente conventionnelle et à forte pente si son rapport est de 4/12 et plus.

- **La configuration**

Un toit en pente n'ayant qu'un seul versant est appelé toit en appentis. Lorsqu'il en a deux, on l'appelle plutôt toit à pignon ou modèle papillon, le dernier étant beaucoup moins courant avec ses pans joints en V. On parle d'un toit en croupe lorsqu'il présente quatre versants.

S'ajoutent à cette liste les toits «à combles brisés», qui sont caractérisés par leurs versants à pente double. On utilise parfois le terme anglicisé «*gambrel*» pour distinguer le modèle à deux versants (qui est typique du toit de grange); on parle plutôt de toit mansardé ou à la mansarde lorsque la toiture compte quatre pans à deux pentes.

▶ Les types de toits

Mansarde

Pignon

En appentis

Papillon

▶ Les types de toits (*suite*)

Plat

En croupe

Combles brisés

Toit combiné

LES AMONCELLEMENTS DE GLACE

En hiver, de la glace se forme en bordure de notre toiture. Est-ce que l'installation d'un câble chauffant permettrait de régler ce problème?

L'accumulation de glace, communément appelée «barrage de glace», est un phénomène fréquent en hiver. Pour plusieurs raisons comme l'ensoleillement et la température extérieure, la neige au sommet de la toiture fond et l'eau résultant de la fonte s'écoule le long de la pente. Elle regèle ensuite en contrebas, sur la partie de l'avant-toit en surplomb des murs. La glace qui s'amoncelle fait ainsi obstacle au passage de l'eau et l'emprisonne. Or, on ne construit pas de piscine avec des bardeaux. Lorsque les bardeaux baignent dans l'eau, on doit s'attendre à ce que cette eau s'infiltre sous la couverture et cause des dommages. C'est d'ailleurs pour cette raison qu'une membrane d'étanchéité est installée sur l'avant-toit des maisons, afin de protéger cette section.

Les gouttières favorisent aussi les barrages de glace. L'eau gèle puis bloque la descente pluviale. Comme moyen de prévention, on recommande l'installation de câbles électriques chauffants. De cette façon, il suffit d'activer le système aussitôt que tombe une pluie verglaçante. Le câble n'est donc fonctionnel que durant deux ou trois jours (et non de façon continue, ce serait beaucoup trop coûteux), le temps que la glace fonde ou que des rigoles se creusent à sa surface afin de faciliter le drainage de l'eau.

Un soleil de plomb, des températures nettement au-dessus de zéro durant le mois de janvier et du verglas ne sont pas les seuls facteurs mis en cause. Lorsque la glace et les glaçons en débord du toit persistent, un manque d'isolation du plancher du grenier ainsi qu'une ventilation insuffisante de l'espace sous le toit sont souvent liés à la problématique. En effet, l'air chaud et humide en provenance des étages inférieurs s'installe durant l'hiver dans l'entretoit mal isolé. Cet espace ainsi réchauffé par la chaleur et l'humidité – qui tend à s'accumuler dans le haut du pignon – fait alors fondre la couverture de neige sur le toit. On connaît la suite...

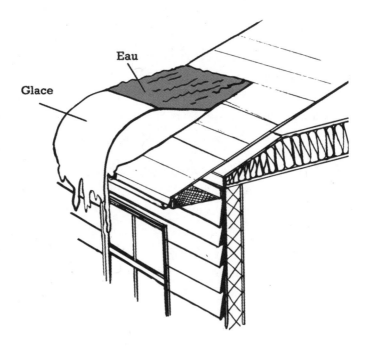

LE DÉNEIGEMENT DE LA TOITURE

Est-il nécessaire de déneiger un toit en pente en hiver?

Il neige à gros flocons depuis plus de 24 heures et, pour les prochains jours, on prévoit tout un cocktail météo dont de la pluie verglaçante. Faut-il pour autant s'inquiéter de l'épaisseur de neige qui recouvre la toiture? Dans des conditions normales, il n'y a pas lieu de s'en faire, surtout si le toit est en pente. Le calcul des charges lors de la conception d'un toit tient compte du poids de la neige. C'est lorsque la météo fait des caprices qu'il faut être plus vigilant. Ce n'est pas tant la quantité de neige reçue qui inquiète, mais de sa densité. En effet, une neige poudreuse, même abondante, s'avérera moins problématique qu'une neige mouillée qui est plus lourde.

Rappelez-vous que la neige est un isolant. Quand son épaisseur sur une toiture excède 10 po, la couche inférieure fond de façon spontanée et l'eau de la fonte se retrouve dans le bas de la pente, où elle gèle et s'accumule. Elle forme alors un barrage de glace. Les périodes de redoux et les épisodes de verglas, qui sont maintenant plus fréquents en hiver, accentuent le phénomène.

Lorsqu'on déneige une toiture, on le fait avant tout pour réduire les surcharges et pour dégager les émergences de toit qui se cachent sous le blanc manteau. On le fait aussi pour contrer les barrages de glace, même si rien ne garantit que le problème soit réglé pour autant. Dans ce cas, il n'est pas nécessaire de déneiger toute la surface du toit: les 18 premiers pouces suffisent, car l'eau, qui n'est plus ralentie dans sa course par l'épaisseur de neige, pourra se dégager de l'avant-toit avant qu'elle ne gèle.

 Conseil

Ne s'aventure pas qui veut sur une toiture en hiver. D'abord, parce qu'il n'est pas recommandé de marcher sur des bardeaux par temps froid, mais aussi parce que le risque de chute est élevé. En outre, des coups de pelle trop vigoureux risquent d'endommager le revêtement asphalté: infiltration d'eau assurée! Pour toutes ces raisons, il est préférable de confier la tâche à une entreprise spécialisée.

LA POSE DES BARDEAUX

Est-ce que je peux refaire la couverture de mon toit simplement en posant de nouveaux bardeaux par-dessus les anciens?

La pose de nouveaux bardeaux sur une couverture existante est une pratique qui peut se faire dans certaines circonstances. Il faut d'abord évaluer l'état de la structure du toit. Est-elle en bon état ou porte-t-elle le poids des années? Peut-on observer un fléchissement du faîte et des fermes de toit? Sachez qu'un toit affaibli ne pourra supporter le poids supplémentaire imposé par de nouveaux bardeaux. Si la charpente n'est pas d'aplomb, la première chose à faire est d'apporter les correctifs nécessaires pour en assurer la solidité.

Et qu'en est-il du support de couverture? Les matériaux (planches ou panneaux) qui le composent sont-ils endommagés? La pourriture a-t-elle eu raison de certaines planches? Le contreplaqué est-il déformé? Enfin, dans quelle condition sont les bardeaux à remplacer? Sont-ils tout frisés, gondolés, partiellement arrachés? Des bardeaux déformés ou trop humides ne conviennent pas comme surface de pose, qui se doit d'être le plus plane possible.

Une ultime question s'ajoute: pour quelles raisons veut-on vraiment conserver les vieux bardeaux en place? En espérant qu'il ne s'agisse pas de paresse, mais plutôt de considérations écologiques (moins de déchets à gérer). Quand on le fait pour les bonnes raisons, que la réglementation municipale l'autorise et que l'état général des matériaux le permet aussi, oui, on peut envisager la superposition de deux couches de bardeaux. Un toit est normalement conçu pour recevoir ce poids additionnel. Toutefois, en cas de doute sur l'intégrité de la structure, des composantes et des matériaux, il ne faut pas hésiter à tout enlever et à repartir du bon pied, sur des bases saines et solides.

Fait à ne pas négliger: de nouveaux bardeaux posés sur des matériaux âgés sont susceptibles de s'user plus rapidement.

LES REVÊTEMENTS DE TOITURE

- **Les bardeaux et les tuiles**

  L'éventail de produits est vaste et comprend les bardeaux d'asphalte, de fibre de verre, de cèdre, ceux faits en aluminium ou en acier ainsi que les tuiles d'ardoise et celles en béton. La durabilité, l'esthétisme, le voisinage et le budget sont des critères déterminants au moment d'opter pour l'un ou l'autre de ces produits.

- **Les revêtements métalliques**

  Il y a ceux en acier (galvanisé et prépeint), et ceux en cuivre (plus luxueux), que l'on reconnaît à la patine verte caractéristique dont ils se parent au fil du temps.

- **Les recouvrements de toits plats**

  La couverture multicouche (membrane asphaltée), la membrane de bitume élastomère et les membranes monocouches EPDM (caoutchouc synthétique) et TPO (thermoplastique polyoléfines) s'inscrivent dans cette catégorie.

LES BARDEAUX ABÎMÉS

Des vents violents ont arraché quelques bardeaux d'asphalte. Est-ce que je dois les faire remplacer, même en plein hiver ?

Été comme hiver, il est important de vérifier l'état de la toiture après le passage d'une tempête accompagnée de fortes rafales. Des branches d'arbre sont-elles tombées sur la toiture ou jonchent-elles le sol à proximité de la maison ? Des bardeaux se sont-ils envolés ? Si le toit a été endommagé, communiquez d'abord avec votre compagnie d'assurances afin de vous assurer que les dégâts subis n'entraîneront pas davantage de dommages comme l'infiltration d'eau.

Toutefois, la glace, la neige et les basses températures fragilisant les bardeaux, on comprend qu'il n'est pas recommandé d'effectuer de tels travaux en plein hiver : on suggère en fait d'éviter de poser des bardeaux lorsque la température est inférieure à 5 °C.

Mais s'il y a urgence, on fait ce qu'il faut tout en faisant preuve de précaution. Si les dommages constatés sont minimes et que la surface à réparer est facilement accessible (c'est-à-dire que vous n'avez pas à marcher sur le toit pour y accéder), vous pouvez colmater la zone exposée avec un enduit conçu à cette fin (*pitch*). Par contre, si la zone de dégâts est plus étendue et qu'elle est difficile à atteindre, il est préférable de confier le travail à une entreprise spécialisée, qui saura prendre les mesures appropriées. À noter que les frais de main-d'œuvre et les produits utilisés pour assurer une meilleure adhérence des bardeaux risquent de faire grimper quelque peu la facture.

LA MOUSSE

Quelles sont les causes et les conséquences de la présence de mousse verte sur une couverture en bardeaux d'asphalte ?

Un versant de toit privé d'ensoleillement durant une bonne partie de la journée parce qu'il est orienté vers le nord, ou parce qu'il est situé dans l'ombre en raison de la présence d'un ou de plusieurs arbres à proximité, est plus sujet à développer de la mousse. Même chose pour la surface d'un toit plat sur laquelle l'eau stagne. Un toit humide favorisera la prolifération de la mousse, mais aussi du lichen, des algues et des champignons.

Bien qu'en apparence inoffensive, la mousse ne l'est pas, du moins pas sur un toit. D'abord, elle empêche de voir l'état de la couverture. De plus, la mousse accélère l'usure de la toiture en raison de sa teneur en humidité, combinée au fait que les surfaces sont elles aussi humides. Les dommages qu'elle cause sont proportionnels à son emprise dans le temps. Ainsi, si la situation perdure depuis 15 ou 20 ans et que rien n'a été fait pour l'empêcher de proliférer, elle finira par affaiblir la structure jusqu'à en venir à bout. C'est donc sans plus attendre que vous devez lui déclarer la guerre.

Pour éliminer la mousse, le nettoyeur à pression est à proscrire. Certains recommandent d'utiliser une solution maison d'eau et d'eau de Javel, alors que d'autres suggèrent plutôt de traiter la surface avec des produits spécialement conçus à cet effet (algicide, fongicide et anti-mousse). Ces produits sont appliqués sur la surface au moyen d'un pulvérisateur à jardin, puis la mousse est retirée en frottant délicatement la surface avec une brosse à poils durs (en faisant attention de ne pas abîmer les bardeaux). Il suffit ensuite de rincer. N'oubliez jamais qu'il s'agit d'un travail en hauteur et que, même si vous ne souffrez pas de vertige, vous êtes toujours à risque de chuter. Songez à faire appel à un spécialiste pour effectuer un tel nettoyage, tout comme pour l'émondage des arbres dont les branches peuvent toucher le toit.

 Conseil

Parfois, on fixe une bande en zinc ou en cuivre au niveau du faîte, car lorsqu'il pleut, elle se délave et a pour fonction de laver la toiture et d'empêcher la formation de mousse.

L'USURE PRÉMATURÉE DES BARDEAUX

Voilà à peine cinq ans que la couverture en bardeaux d'asphalte a été refaite et celle-ci présente déjà des signes importants d'usure, en particulier sur l'un des versants. Est-ce parce que les bardeaux ont été mal installés ?

L'eau, le froid, la glace, le soleil et le vent sont sans merci pour les toitures et les revêtements extérieurs. La pente (plus elle est prononcée, moins elle sera problématique), l'orientation des versants ainsi que la couleur des bardeaux sont aussi des éléments susceptibles d'accélérer l'usure d'un toit. Par exemple, dans le cas d'un toit ensoleillé à longueur de journée, le versant sud souffrira assurément davantage des dommages causés par les rayons UV. Il est donc normal que cette partie du toit s'use plus rapidement. Sinon, lorsqu'il y a une usure prématurée inexpliquée, c'est souvent la mauvaise ventilation et l'excès d'humidité dans l'entretoit qu'il faut pointer du doigt.

Un bardeau usé est cassant, sa surface granulée est érodée par endroits et elle est marquée de fines craquelures. Le retroussement des coins est un indice d'excès d'humidité dans l'entretoit, donc d'une ventilation déficiente, voire absente. Des bardeaux dont les coins se soulèvent devront être remplacés sans plus attendre. Par contre, installer de nouveaux bardeaux sans d'abord s'assurer que la ventilation des combles est adéquate, que l'isolation y est suffisante et que l'humidité y est mieux contrôlée est l'équivalent de jeter son argent par les fenêtres...

LA FONTE DE NEIGE PONCTUELLE

La neige a fondu à des endroits précis sur la toiture de notre maison. Comment expliquer cela?

Les toits à plafonds cathédrales sont ceux concernés par ce phénomène. Popularisés dans les années 60-70, ils avaient tous les mêmes défauts: ils étaient peu ventilés, mal isolés, et offraient une piètre étanchéité à l'air et à l'humidité. Pas étonnant qu'ils aient connu leur lot de problèmes – dont la formation de barrages de glace et des ennuis qui en découlent – dans les années qui ont suivi. Cela sans compter les factures de chauffage élevées...

L'ajout d'isolant et l'assurance d'une meilleure ventilation sont les moyens mis en branle pour corriger ces déficiences. Si tout a été fait selon les règles de l'art, à quoi faut-il attribuer la fonte ponctuelle de neige sur le toit? Sans doute à la présence de luminaires encastrés au plafond dans des boîtiers non isolés. En raison de l'espace restreint imposé par le design du toit, on comprend que la chaleur dégagée par l'ampoule aura tôt fait de faire fondre la neige juste au-dessus.

Pour corriger la situation, il faut enlever les luminaires et les placer dans des boîtiers métalliques ou faits avec du gypse (finition intérieure) et recouverts d'isolant (à l'extérieur). Dès qu'un luminaire est installé dans un plafond adjacent à un espace sous toit, il doit être scellé d'un boîtier pare-feu: c'est une exigence du Code du bâtiment.

L'ACCUMULATION D'EAU

Nous avons remarqué que l'eau avait tendance à s'accumuler sur le toit plat de notre maison. Quelle est la cause de ce problème ?

On dit d'un toit sans versant qu'il est plat, bien que ce type de toit ne le soit jamais tout à fait. De fait, il comporte des pentes de drainage essentielles pour éviter que l'eau ne s'accumule, ne stagne et finisse par s'infiltrer sous la couverture. L'inclinaison subtile (à peine visible à l'œil) permet de diriger naturellement les eaux pluviales et celles issues de la fonte des neiges vers un avaloir de toit (un drain). L'eau recueillie est ensuite acheminée jusqu'au réseau pluvial municipal. L'emplacement de ce drain est important, car s'il n'est pas situé au point le plus bas d'un toit, il ne sera d'aucune utilité.

La première cause à éliminer est la possibilité que le drain soit obstrué par des débris. Un avaloir de toiture comprend habituellement une cuvette raccordée à un tuyau d'évacuation, coiffée d'une crapaudine semblable à un dôme grillagé. Cette installation a pour but d'empêcher les feuilles d'arbres et les autres détritus de pénétrer et de bloquer le tuyau de la descente pluviale. On trouve sur le marché différents types d'avaloir de toit, dont des modèles à débit contrôlé qui «gèrent», en quelque sorte, l'écoulement de l'eau. Advenant une forte pluie, l'avaloir permet à l'égout pluvial, qui est déjà sollicité de toutes parts, de «respirer» un peu en imposant un rythme à l'évacuation de l'eau. Cependant, le contrôle du débit de l'eau impose une surcharge à la charpente d'un toit, tout en l'exposant davantage à l'infiltration. La structure doit donc être conçue en conséquence.

Ainsi, les flaques d'eau persistantes peuvent être le résultat d'une mauvaise conception des pentes ou d'une déformation qui se serait produite à un certain moment, à la suite d'un affaissement structural. Il faut dire que les rigueurs hivernales font beaucoup plus la vie dure aux toits plats qu'aux toitures pentues. Imaginez le poids exercé par l'accumulation de la neige, de la glace et de l'eau sur une charpente en bois dont les composantes pourraient avoir été fragilisées (pourriture) par des infiltrations antérieures. En cas de doute, il est recommandé de consulter un expert en structure qui fera une évaluation adéquate.

LES BULLES DE BITUME

On remarque la présence de bulles et de boursouflures à plusieurs endroits sur la surface asphaltée du toit plat de notre résidence. Doit-on s'en inquiéter ?

Il n'est pas rare d'apercevoir des cloques de bitume en plus ou moins grand nombre sur les toits plats. Elles sont présentes parce que la couche d'asphalte appliquée en surface est trop épaisse. Bien que, a priori, elles ne soient pas problématiques, elles sont susceptibles d'entraîner le vieillissement prématuré de la couverture multicouche. Le constat est le même pour les boursouflures (soulèvement) qui, elles, sont constituées d'eau ou d'air emprisonnés entre deux épaisseurs d'asphalte.

Pour assurer la durabilité d'une membrane de bitume, celle-ci ne doit pas être exposée aux dommages mécaniques ni aux rayons UV. C'est d'ailleurs pour cette raison qu'on la recouvre d'une bonne épaisseur de gravier, afin de la protéger du rayonnement solaire. Qu'il s'agisse d'une bulle ou du sommet d'une boursouflure, l'ennui est que ces endroits ne profitent plus de la protection du gravier. Ils sont donc plus vulnérables et subiront tôt ou tard les effets dévastateurs des ultraviolets. Lorsqu'elles sont exposées aux rayons du soleil, les bulles et les boursouflures ramollissent et se dégradent jusqu'à ce qu'elles éclatent. Elles forment alors des cavités par où l'eau est sujette à s'infiltrer.

Quand les bulles sont peu nombreuses et qu'elles ne sont pas percées, il est possible de simplement ajouter du gravier là où il y a des manques. Si elles sont plus nombreuses et éclatées, il faut préalablement les recouvrir d'un produit bitumineux (asphalte liquide) avant de mettre le gravier. Enfin, même si vous envisagez d'exécuter les réparations vous-même, il serait bon de songer, à court terme, à faire vérifier l'état de la couverture par un maître-couvreur qualifié.

LES ÉMERGENCES DE TOIT ET LES SOLINS

Les émergences font référence aux cheminées, aux conduits d'évacuation et de ventilation, aux lanterneaux et aux autres dispositifs qui percent la surface d'un toit.

Or, dès qu'un conduit fait saillie, il est sujet à servir de porte d'entrée à l'eau. Pour éviter les mauvaises surprises, on a recours à des solins (sous forme de membrane, d'enduit ou de profilé) qui servent à assurer l'étanchéité de la jonction entre deux surfaces. Plusieurs matériaux (aluminium, acier, cuivre, plastique, etc.) et différents types de modèles, dont des préfa-briqués, adaptés à la pente du toit et combinés à des contre-solins, sont offerts. Leur installation est indispensable à la rencontre de la toiture et des murs, dans les noues (la rencontre de deux versants), à l'emplacement d'une colonne d'évent, d'une cheminée ou d'un drain; bref, partout où se trouve un changement de direction ou de matériaux. L'absence ou la pose inadéquate d'un solin peut occasionner de sérieux dommages au bâtiment en permettant à l'eau de s'infiltrer dans ces endroits vulnérables.

 Conseil

Dans l'entretoit, il faut faire bien attention à l'endroit où l'on pose le pied, au risque de passer à travers le plancher! On se déplace d'un chevron à l'autre ou sur une planche déposée transversalement à la charpente. On évite aussi de marcher sur l'isolant cellulosique, s'il y en a, parce qu'il adhérera aux vêtements, mais surtout parce que cela le compacterait, affectant ainsi ses propriétés isolantes.

LES COMBLES : QUAND UNE VISITE S'IMPOSE

Le comble, c'est le terme retenu pour désigner l'espace sous les versants d'un toit et que l'on appelle communément l'entretoit ou le vide sous toit. On entend aussi souvent «grenier» pour parler de l'endroit, ce qui n'est pas mauvais en soi, sauf qu'un grenier correspond à l'usage qu'on fait des combles.

Ce n'est pas tous les jours qu'on accède aux combles. L'été, il y fait trop chaud, c'est même dangereux d'y monter; l'hiver, il y règne un froid polaire peu invitant. Il reste deux saisons, le printemps et l'automne, qui sont là des périodes propices à une visite. En fait, le moment idéal pour accéder aux combles est pendant ou après une bonne pluie, histoire de repérer plus facilement les traces encore toutes fraîches d'une infiltration d'eau. Si les signes y sont, par exemple un cerne visible au plafond, c'est d'autant plus pressant d'y accéder.

3

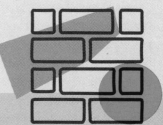

REVÊTEMENTS EXTÉRIEURS

LES REVÊTEMENTS

- **Les déclins**

  Ils sont offerts dans une variété de matières. Les plus courants sont le vinyle, l'aluminium, le bois, le bois d'ingénierie et le fibrociment. Des déclins en polymère et, plus récemment, en acier paré, dont le fini imite l'apparence du bois, ont aussi fait leur entrée sur le marché.

- **Les bardeaux muraux**

  On pense d'abord et avant tout aux bardeaux de cèdre qu'on apprécie pour leur aspect naturel, mais on trouve aussi des bardeaux synthétiques, en vinyle, en fibrociment et en polymère, qui exigent moins d'entretien et qui excellent à reproduire la texture du cèdre.

- **Le stuc et les enduits acryliques**

  Le stuc est utilisé depuis longtemps et fait bonne figure lorsqu'il est posé sur un support de qualité. Aux enduits traditionnels s'ajoutent les produits à base d'acrylique et de polymère.

- **La maçonnerie**

  La brique (en argile ou en béton), la pierre naturelle et la pierre reconstituée sont les plus connues. C'est probablement le type de revêtement qui a le plus évolué au cours des dernières années depuis l'arrivée de nouveaux produits autoportants et allégés, dont les panneaux usinés ou plaqués qu'on ancre à la structure au moyen de systèmes de fixation brevetés.

LE DÉCLIN – FIXATION

Pourquoi le déclin de vinyle est-il extrêmement bruyant lorsqu'il vente ?

Le vinyle, ce bien-aimé… On aime son coût abordable, la variété de formats et de couleurs qu'il revêt, sa facilité d'installation, sa bonne résistance aux égratignures, son entretien minime, le tout accompagné d'une durée de vie satisfaisante. On apprécie aussi sa légèreté… et il faut justement craindre cet aspect, car il offre une très faible résistance aux vents.

Le vinyle est un matériau vulnérable aux changements de température. Sous l'effet du soleil et de la chaleur, il se dilate et prend de l'expansion ; il se resserre ensuite lorsque le temps se refroidit. Il importe donc que le matériau puisse subir sans contrainte les fluctuations de température. C'est pourquoi l'installation du revêtement doit être faite conformément aux instructions du fabricant. Il faut entre autres utiliser les bandes de départ et les moulures appropriées, éviter l'alignement vertical des joints, prévoir un jeu pour la dilatation, et enfoncer – mais pas trop ! – les clous (ou les agrafes) bien au centre des trous. Ces quelques détails peuvent parfois faire la différence !

En suivant attentivement les recommandations du manufacturier, vous limitez les mauvaises surprises dues à une fixation inadéquate du matériau. Il est cependant possible, malgré quelques ajustements apportés à l'installation, que les profilés de vinyle continuent à ballotter par temps venteux. Il est même probable que ce soit le cas si votre résidence est située dans un «corridor de vent» ou dans un endroit reconnu pour ses forts vents.

Des changements opérés sur le plan de l'aménagement paysager, comme la plantation stratégique d'une haie et l'utilisation d'un arbre comme brise-vent, constituent une façon de diminuer l'effet indésirable du vent.

Aussi, selon l'âge du déclin de vinyle, peut-être devriez-vous envisager son remplacement par un autre type de revêtement plus stable, mais d'apparence semblable. Quelques choix sensés sont l'aluminium, qui offre une résistance supérieure aux vents, la fibre de bois pressée, aussi appelée bois d'ingénierie (de type CanExel), qui est réputée pour être moins réactive aux variations climatiques, ou encore le fibrociment, qui est plus lourd (puisqu'il est composé de ciment Portland).

LE DÉCLIN – REMPLACEMENT

Peut-on remplacer le parement de clins de vinyle par de la brique?

Cette option est rarement envisageable. D'abord, l'épaisseur d'un mur de fondation varie entre 8 et 10 po selon la structure des murs, l'isolation extérieure et le matériau sélectionné pour habiller la maison. Entre la pesante brique et le vinyle, qui est le champion des «poids plume», il y a toute une différence de pesanteur. C'est au moment de construire la maison que tout se décide. Lorsqu'on opte pour un parement de briques, le béton est coulé en conséquence dans des coffrages plus épais afin que la partie supérieure du mur de fondation puisse accueillir la charpente et servir d'assise à la maçonnerie, l'une et l'autre étant séparées par une lame d'air.

Si le revêtement est léger et que la fondation est déjà surdimensionnée par rapport à la construction, le changement est possible. Pour déterminer si la structure est apte à supporter la charge supplémentaire qui lui sera appliquée, on doit consulter un spécialiste. À chacun son expertise: ce n'est pas à un maçon que revient la décision. Avant de vous lancer dans de tels travaux, retenez les services d'un ingénieur en structure ou d'un expert en charpente.

La brique, la vraie, n'a pas toujours sa place comme solution de remplacement au vinyle. Pour ceux et celles qui aiment son apparence, sachez qu'il existe des briques autoportantes qu'on fixe à la structure des murs, ou encore des panneaux décoratifs faits de polymères. Ces systèmes sont offerts avec des bandes de départ, des pièces de coins et des ancrages appropriés. En plus d'être légers, leur installation est relativement facile, donc elle est à la portée de tous les bricoleurs qui n'ont pas peur de se retrousser les manches. Ces revêtements vont-ils bien vieillir? Il faut laisser au temps le soin de faire son œuvre avant d'en faire la preuve.

▶ Fondation pour mur de briques

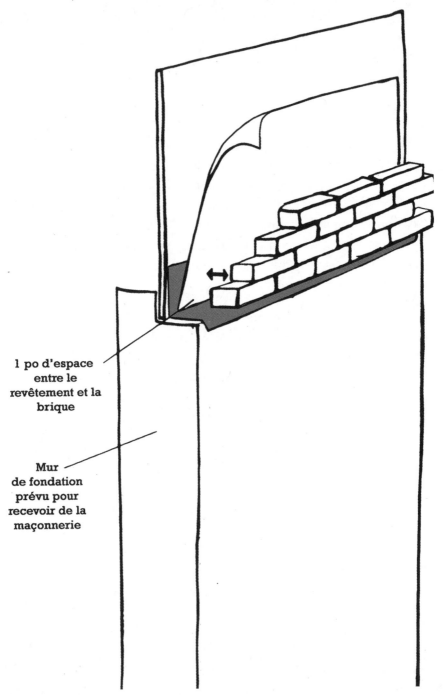

1 po d'espace
entre le
revêtement et la
brique

Mur
de fondation
prévu pour
recevoir de la
maçonnerie

▶ Fondation pour mur autre que de la maçonnerie

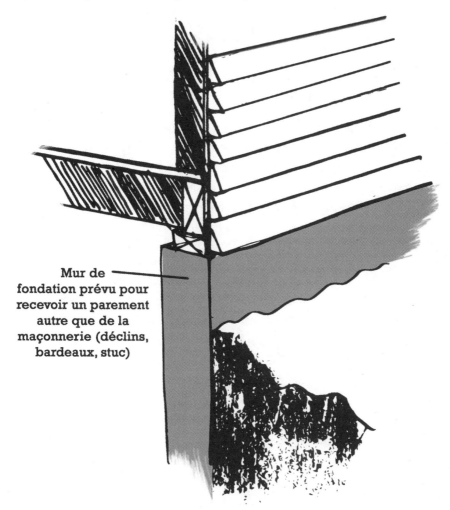

Mur de fondation prévu pour recevoir un parement autre que de la maçonnerie (déclins, bardeaux, stuc)

Plutôt que de le remplacer, peut-on repeindre un revêtement en aluminium ou en vinyle défraîchi ?

Oui, il est possible de repeindre un déclin en aluminium ou en vinyle. C'est un moyen peu coûteux de rehausser l'apparence d'une maison et de donner une deuxième vie à un revêtement encore bon. Il y a évidemment certaines règles à respecter pour optimiser les résultats. Le choix du produit, la préparation adéquate de la surface et l'application de la peinture en font partie.

On peut cependant facilement se perdre devant la diversité des peintures offertes sur le marché. L'important est d'opter pour un produit de qualité, quitte à y mettre le prix. Et, dans le cas du vinyle, il faut opter pour une couleur qui n'est pas trop foncée, compte tenu de la sensibilité du matériau aux changements thermiques. Le travail s'effectue ensuite en deux temps. Première étape : la préparation de la surface. Cette étape est non négligeable, voire cruciale pour assurer des résultats durables. C'est aussi l'étape la moins appréciée... celle dont on a envie de se débarrasser ! Elle consiste à nettoyer la surface à peindre avec un produit dégraisseur et à la rincer au moyen d'un nettoyeur à pression. On doit porter une attention particulière à l'aluminium qui est sujet au farinage (poussière crayeuse qui reste sur la main lorsqu'on touche au revêtement).

La deuxième étape est l'application de la peinture. Ne vous lancez surtout pas tête baissée dans ce travail sans d'abord jeter un œil sur les prévisions météorologiques. Les températures trop chaudes et les précipitations pourraient vous obliger à revoir vos projets...

LE STUC – MICROFISSURES

En regardant attentivement, on remarque que de minuscules fissures se dessinent à la surface du revêtement de stuc. Risque-t-il de s'effriter ?

Le stuc est un enduit composé de chaux, de sable et de ciment Portland, le tout mélangé avec de l'eau. Il est appliqué en trois couches sur un treillis métallique fixé à l'ossature du bâtiment. Bien que ce type de revêtement soit employé depuis des siècles, les recettes se sont améliorées au fil du temps et les techniques de pose ont aussi évolué. Le stuc de ciment est aujourd'hui remplacé par du ciment polymère et par des enduits acryliques. Ces produits sont maintenant appliqués sur des panneaux de polystyrène derrière lesquels se trouve un espace d'air assurant la ventilation et le drainage. Cet espace, absent sur les installations antérieures, occasionnait entre autres la pourriture de la structure.

Toutefois, l'un des principaux problèmes associés au stuc demeure l'apparition de microfissures. Ces fissures résultent de l'interaction entre le métal (treillis) et l'enduit, deux matériaux qui ne réagissent pas de la même façon aux différences de températures. L'ennui, c'est qu'elles sont propices à l'infiltration d'eau. A priori, le stuc n'est pas un revêtement qui exige beaucoup d'entretien, mais il importe de garder l'œil ouvert afin de limiter d'éventuels dommages. Une infiltration d'eau peut atteindre le support métallique et le faire rouiller, en plus d'accélérer la dégradation du matériau. Si des traces de rouille sont visibles à la surface du stuc, c'est que le processus est déjà enclenché ; une réparation est de mise. Si le stuc ne semble pas endommagé mais que des fissures se dessinent par endroits, il faut le colmater avec un produit scellant approprié afin de contrer l'infiltration d'eau.

LE STUC – AGRÉGATS

Est-ce vrai que l'ajout d'agrégats assure une meilleure durabilité du stuc?

C'est avant tout pour une question de goût que l'on choisit le stuc d'agrégats, car les petites pierres projetées en surface n'ont aucune influence sur la durée de vie du revêtement. Avant même d'adopter l'agrégat, il est important d'en connaître les avantages et les inconvénients. On peut considérer que le fait que les pierres aident à masquer les microfissures inhérentes au stuc est un avantage. Par contre, il est faux de croire que le revêtement est mieux protégé et qu'il est par conséquent à l'abri d'éventuels dommages. Il s'agit même d'un désavantage; les fissures étant moins visibles, on risque de les oublier et de négliger l'entretien du revêtement. Les problèmes seront les mêmes que pour le stuc standard et ils se manifesteront tôt ou tard si l'on n'intervient pas à temps.

Quand on opte pour le stuc d'agrégats, une autre réalité avec laquelle il faut composer est le fait que les pierres ont tendance à se détacher. Le phéno-mène est habituellement plus marqué au fil du temps. Certains parements sont cependant moins durables que d'autres. On passe la main sur la surface et, ô surprise!, les pierres tombent... Par contre, la prise est suffisamment solide. Qu'est-ce qui, en fin de compte, explique la différence? Essentiellement deux choses: la qualité du mélange (le bon dosage des ingrédients) et les conditions extérieures (ni trop chaudes ni trop froides) au moment de l'application.

LA MAÇONNERIE – MORTIER

L'entrepreneur responsable de refaire les joints de briques de la maison n'est disponible qu'à la mi-novembre. Devrais-je aller de l'avant avec ses disponibilités ou devrais-je plutôt patienter jusqu'au printemps pour faire faire les travaux?

Bien que leur exécution puisse être problématique, les travaux de maçonnerie ne sont pas interdits en hiver. On doit cependant s'assurer que l'entrepreneur se conforme aux normes applicables à la construction hivernale. Sur les grands chantiers, où le travail se poursuit sans égard à la période de l'année, quand la saison froide approche et que les températures sont à la baisse, on utilise des bâches isolantes, des enceintes et des chauffages d'appoint. L'idée est de maintenir le mortier, l'eau et les éléments de maçonnerie à une température minimale légèrement située au-dessus du point de congélation (5°C), puis de protéger l'ouvrage contre le gel dans les 48 heures suivant sa réalisation, soit le temps nécessaire au mûrissement du mortier. Ces précautions sont indispensables à la qualité des travaux.

La situation diffère dans le domaine de la construction résidentielle, car il est peu fréquent d'entamer des travaux de maçonnerie par temps froid, à moins qu'il y ait urgence. L'équipement dont il faut se doter et les coûts plus élevés de la main-d'œuvre n'en valent tout simplement pas la peine.

Un mortier est composé d'un mélange de ciment Portland (qui procure l'effet liant), de sable et d'eau. C'est lui qui assure la solidité et la durabilité d'un ouvrage de maçonnerie. Lorsqu'il gèle, sa qualité est altérée et il n'est plus d'aucune utilité; il est même interdit de l'utiliser. Comment savoir qu'un mélange de mortier ou des éléments de maçonnerie ont été exposés au gel? L'efflorescence est un indice, mais le test le plus fiable est de sonder les joints de mortier avec la pointe d'un tournevis. S'ils sont friables et que le mortier s'effrite comme du sable, il faut y voir le signe d'une détérioration causée par le gel. Le jointoiement devra être refait par un professionnel qualifié... par temps plus chaud.

Quelles sont les causes de l'apparition de lézardes dans un parement de briques ? Et comment les réparer ?

Les lézardes dans un mur de briques apparaissent pour plusieurs raisons. Elles peuvent être occasionnées par :

- la dilatation du support, c'est-à-dire la structure de bois ;
- le mélange du mortier utilisé pour jointoyer les briques ;
- le fléchissement ou la rouille d'un linteau ;
- des contraintes de gel et de dégel ;
- un mouvement structural.

La maçonnerie est vulnérable aux mouvements de la charpente. Lorsqu'on remarque une lézarde dans les joints de briques, on la répare et on la surveille pour s'assurer que la fissure n'est plus active. Si des réparations ont été faites par le passé et que le problème revient, c'est que rien n'est réglé. Il faut investiguer et, en cas de doute, faire appel à un expert pour déterminer si un mouvement de sol en est la cause.

À l'opposé du mouvement de sol sur lequel on a peu de contrôle, la qualité du mortier ne doit pas être négligée. La résistance et la maniabilité diffèrent selon le mélange de mortier. Il faut donc s'assurer de choisir le bon produit. Surtout, dans ce cas-ci, il n'est pas nécessaire d'opter pour un mélange d'une solidité à toute épreuve qui ne tolérerait aucun mouvement de structure et risquerait même de faire fendre la brique.

LA MAÇONNERIE – BRIQUES PEINTES

Le parement de briques de notre maison a été peint il y a plusieurs années et il est défraîchi. Peut-on appliquer une nouvelle couche de peinture par-dessus l'ancienne, ou faut-il plutôt la décaper au jet de sable ?

Le décapage au jet de sable n'est pas vraiment une solution envisageable, car ces travaux sont coûteux. Certaines villes les interdisent, alors que d'autres les tolèrent sous certaines conditions.

Mais la vraie question à se poser est : pourquoi peindre sa brique ?

Sachez d'abord qu'on ne s'amuse pas à peindre une façade en brique simplement parce qu'on n'aime pas la couleur actuelle : mieux vaut ne pas y toucher, car l'application de peinture pourrait contribuer à la détérioration du parement.

Peindre la brique est une option valable quand le matériau est en fin de vie et que son remplacement est imminent. Il faut aussi savoir que peindre un parement de briques avec un produit imperméable à l'eau est l'équivalent de signer son arrêt de mort. Pourquoi ? D'abord, la brique est perméable à la vapeur d'eau. Elle absorbe donc l'humidité, et doit par conséquent pouvoir l'évacuer par la suite. Si on applique une peinture pour rendre sa surface étanche, l'eau et l'humidité emprisonnées ne pourront s'en échapper. Le gel n'a plus qu'à faire le reste…

Pour empêcher les dommages, on doit opter pour une peinture qui n'est pas pare-humidité. Par contre, quand on peint la brique comme moyen de dernier recours, on le fait jusqu'à un certain point pour empêcher l'eau de pénétrer dans le parement. On y va pour l'étanchéité. Alors on s'engage dans un cercle vicieux…

LA MAÇONNERIE – CHANTEPLEURES

Peut-on boucher les fentes situées sur la partie inférieure d'un mur de briques sans utiliser de mortier lorsqu'on veut empêcher les insectes d'y entrer et de faire leur nid derrière celui-ci ?

Les joints évidés dont on parle ici sont des chantepleures. Discrètes, elles passent facilement inaperçues jusqu'au jour où, en suivant une guêpe des yeux, on remarque que l'insecte tente de s'engouffrer dans un «trou» situé dans la maçonnerie. On se dit alors: «Tiens, c'est malin, le maçon a oublié de remplir un joint de mortier!» Et on fait comme plusieurs l'ont déjà fait – évidemment, personne ne souhaite avoir à composer avec un nid de guêpes dans un mur –, on sort le calfeutrant, bien décidé à boucher l'ouverture une fois pour toutes...

Pourtant, c'est une erreur. Les chantepleures ont bel et bien une fonction: celle de drainer et de ventiler l'espace d'air entre la brique et la structure des murs. L'eau susceptible de s'infiltrer derrière le parement peut ainsi s'égoutter, et le mouvement d'air créé aide à chasser l'humidité présente à l'intérieur de cette cavité. C'est pour cette raison qu'elles sont situées dans le bas des murs et qu'on en retrouve aussi au-dessus des ouvertures plus larges comme les portes de garage.

Cette technique ayant été mise en place dans les années 70, ne cherchez pas de chantepleures sur les vieux parements. Surtout, ne soyez pas tenté de sortir une mèche à béton pour ménager un trou dans le mortier afin d'en créer une! Car, ce faisant, vous risqueriez de percer le solin derrière le mur, de compromettre son étanchéité et de permettre à l'eau de s'infiltrer. Sans drainage ni ventilation, vous devrez miser sur l'entretien périodique des joints avec un mortier approprié de même type que celui d'origine.

ZOOM SUR...

LE RENFLEMENT D'UN MUR DE BRIQUES

On l'appelle communément le «ventre de bœuf». Il s'agit d'un renflement anormal qu'on observe dans un mur de briques, généralement sur la partie supérieure du parement. Il peut être dû:

- à la corrosion des attaches métalliques qui, à intervalles, retiennent la brique à la structure;
- à la détérioration du mortier;
- aux cycles de gel et de dégel ainsi qu'à l'infiltration d'eau.

Il peut être dangereux de ne pas intervenir, car les briques peuvent se détacher du mur et, dans le pire des cas, le mur lui-même peut s'écrouler. Il faut donc réparer ce vice.

4

PORTES ET
FENÊTRES

LES CRITÈRES D'ACHAT D'UNE PORTE

On s'attend d'une porte extérieure qu'elle soit :

- étanche et bien isolée ;
- sécuritaire (afin de résister à une éventuelle intrusion) ;
- résistante et durable ;
- facile d'entretien.

Avant l'esthétisme, c'est le rendement énergétique qui arrive en tête de liste des critères de sélection. À cet effet, les caractéristiques à considérer sont :

- une âme (l'intérieur de la porte) bien isolée ;
- des coupe-bise de qualité ;
- un vitrage à haut rendement énergétique.

On a de bonnes raisons de remplacer une porte extérieure quand :

- ses composantes se sont dégradées avec les années ;
- elle laisse passer l'air ;
- elle n'est plus aussi performante sur le plan de l'isolation ;
- elle offre peu de résistance à l'entrée par effraction.

On peut aussi souhaiter remplacer une porte simplement parce que le style ne sied plus à la maison. Si, à l'inverse, le choix est de la conserver encore quelques années, il est possible d'apporter certaines améliorations, comme :

- le remplacement des coupe-froid pour assurer un meilleur rendement ;
- la pose d'un nouveau loquet muni d'un pêne dormant et d'une gâche renforcée, pour améliorer ses propriétés sécuritaires ;
- quelques coups de pinceau pour le coup d'œil.

L'EFFICACITÉ : LA PRIORITÉ

Il n'y a pas que les électroménagers ou les appareils de chauffage et de climatisation qui sont certifiés ENERGY STAR. Les portes et les fenêtres le sont aussi. La certification ENERGY STAR est en quelque sorte l'assurance que le produit répond aux exigences les plus sévères en matière d'efficacité énergétique. Une efficacité qui est de 20 à 40 % supérieure aux modèles conventionnels de portes et de fenêtres assure ainsi une réduction annuelle des frais de chauffage pouvant se refléter en une économie allant jusqu'à 10 %, selon ce que rapporte le site Internet d'Hydro-Québec. On y spécifie également qu'environ le quart des déperditions de chaleur d'une maison sont imputables aux portes et aux fenêtres, d'où l'importance de miser sur des produits à haute efficacité comme ceux portant le symbole ENERGY STAR.

Des portes et des fenêtres homologuées présentent les avantages suivants :

- un vitrage double ou triple ;
- des surfaces vitrées isolées au moyen d'un gaz inerte (argon ou krypton) ;
- des intercalaires à faible conductivité ;
- des composantes isolées (cadre, châssis et âme de porte) ;
- une excellente étanchéité à l'air.

LES COURANTS D'AIR

Doit-on changer une porte extérieure auprès de laquelle on ressent un courant d'air froid?

Si vous sentez un mouvement d'air à proximité d'une porte, c'est parce que l'air chaud qui se trouve à l'intérieur de la maison cherche à sortir à l'extérieur, là où l'air est plus froid. Pour réduire les pertes de chaleur attribuables à ces fuites, il faut s'assurer de l'étanchéité de la porte. Vous devez sceller tout espace entre la porte et son bâti, aussi minime soit-il, afin d'empêcher l'air de passer.

C'est pour cette raison qu'une porte doit être munie d'un coupe-bise, aussi appelé coupe-froid. Cet accessoire indispensable a non seulement la fonction de protéger contre les intempéries et les poussières, mais aussi de réduire les fuites d'air. Avant de remplacer votre porte extérieure – à moins que vous ne le fassiez pour des considérations esthétiques –, examinez les coupe-froid de plus près. Si la porte est d'origine, donc qu'elle est assez âgée, il est possible qu'elle en soit dépourvue; sinon, vérifiez s'ils sont abîmés, décollés, s'ils ont été peints, ou s'ils sont mal en point. Dans ce cas, le moment est venu de les remplacer.

On trouve sur le marché différents types de coupe-bise: à bandes compressibles, élastiques, à ressort, magnétiques, etc., ainsi que des modèles spécialement conçus pour le bas des portes (seuil à chevauchement, à butée, jupette, etc.). Dans tous les cas, assurez-vous que le coupe-froid choisi est durable, qu'il comble et scelle efficacement l'espace entre la porte et son cadre, tout en étant facile à installer. Ne vous fiez surtout pas uniquement à son apparence et ne lésinez pas sur la qualité du produit. Un coupe-bise de moindre qualité risque d'être moins durable et peu efficace.

Il n'y a pas qu'autour des ouvertures des portes que l'installation de coupe-bise est requise. Les cadres et les châssis mobiles des fenêtres doivent aussi en être pourvus. Une fois par année, au printemps ou à l'automne, inspectez-les afin de vérifier qu'ils sont en bon état et qu'ils scellent adéquatement le pourtour de la fenêtre. Notez que vous pouvez améliorer l'étanchéité d'une fenêtre existante en y ajoutant un deuxième coupe-froid, comme sont maintenant fabriquées la plupart des nouvelles fenêtres. Avec un coupe-froid compressible posé à l'intérieur du cadre et un deuxième en bordure du châssis, l'air pourra difficilement s'échapper.

LE REMPLACEMENT D'UNE PORTE

Peut-on remplacer une porte en mauvais état en conservant toutefois son cadre, ou est-il préférable d'opter pour un modèle préencadré ?

L'installation d'une porte neuve dans un cadre existant est une option intéressante, qui a l'avantage d'être moins coûteuse qu'un remplacement complet. De plus, en conservant l'encadrement tel quel, on évite d'avoir à réparer les finitions murales intérieures et extérieures, en plus de pouvoir préserver les moulures et les autres garnitures qui peuvent présenter une certaine valeur patrimoniale.

La réfection n'est toutefois valable que si le cadre est encore en bon état, c'est-à-dire qu'il est étanche et bien isolé. Il faut aussi savoir que le travail n'est peut-être pas aussi facile qu'il en a l'air. Plusieurs ajustements s'avéreront nécessaires, à commencer par le découpage du bas de la porte selon la hauteur de l'encadrement, suivi de l'alignement et la pose des charnières ainsi que du perçage des ouvertures pour le loquet et la serrure. La minutie est ici de mise.

L'autre solution est l'installation d'une porte préencadrée dans une ouverture brute. C'est d'ailleurs un choix sensé lorsque le cadre est en piètre état et qu'il n'est plus aussi étanche qu'il le devrait. À noter que l'ouverture dégagée par l'enlèvement d'une porte simple peut être agrandie (en voyant à répartir les charges) pour faire place à un modèle doté de fenêtres latérales ou même surmonté d'une imposte. Les travaux devront être effectués avec soin pour que l'installation soit parfaitement étanche et bien isolée.

 Conseil

En théorie, le seuil d'une porte qui s'ouvre vers l'extérieur devrait montrer un écart au sol d'au moins 6 po. Autrement, la neige accumulée pourrait, en fondant, s'infiltrer par le bas de la porte, favorisant ainsi le développement de moisissures et la détérioration de ses composantes.

LE BOIS MASSIF CONTRE L'ACIER

Une porte en bois massif est-elle plus efficace qu'une porte en acier ?

Bien que le bois soit un bon isolant, ce facteur n'est généralement pas l'élément déterminant lorsque vient le temps de choisir une porte. Les modèles en bois massif, composés d'un assemblage de montants et de traverses dans lesquels s'insèrent des panneaux en bois plein, présentent des propriétés isolantes intéressantes, mais les portes en acier isolées demeurent plus performantes sur le plan de l'efficacité énergétique.

La porte en acier comporte un revêtement en acier monté sur une structure dont le centre est isolé d'une mousse polyuréthane, lui conférant une grande résistance au froid. Sécuritaire, performante et pratiquement sans entretien, la porte d'acier compte parmi les plus populaires sur le marché. De plus, les gens désirent souvent pouvoir y intégrer un vitrage aux motifs et aux dimensions de leur choix. Il faut cependant porter une attention particulière au format du vitrage, parce que celui-ci a une incidence sur la valeur isolante de la porte. Ainsi, une porte sans vitrage offrira un meilleur rendement énergétique qu'un modèle dont le deux tiers de la surface est vitré.

Lorsqu'on opte pour une porte en bois massif, on le fait davantage pour l'authenticité et la noblesse du matériau. Les essences les plus courantes sont celles qui résistent le mieux aux intempéries. Bien que le cèdre soit en tête de liste, le pin fait aussi bonne figure, non pas tant pour sa résistance, mais parce qu'il est abordable.

On trouve également sur le marché des modèles plaqués de bois dont la construction est semblable à celle des portes en acier, c'est-à-dire une structure en bois et en contreplaqué, une âme en polyuréthane et un placage de surface. Ce type de porte offre d'excellentes performances sur le plan de l'isolation et est tout indiqué pour les amateurs de bois.

En optant pour le bois, il faut prévoir un entretien à périodes régulières, qui est inévitable avec le temps ; la protection des surfaces exposées aux intempéries devra être renouvelée, histoire d'assurer la durabilité de votre investissement. Si vous ne souhaitez pas avoir à poncer, à repeindre ou à revernir votre porte périodiquement, il vaut mieux vous tourner vers les autres matériaux nécessitant moins d'entretien. Outre l'acier, on trouve des portes en PVC, en aluminium et en fibre de verre.

 Conseil

Une porte d'entrée vitrée permet certes à la lumière de pénétrer, mais offre un rendement énergétique moindre. Il est donc inutile de voir trop grand en ce qui concerne le vitrage !

LA PORTE COULISSANTE

Peut-on réparer une porte-fenêtre qui est difficile à ouvrir, ou doit-on la remplacer ?

La « porte-patio » est un classique de nos maisons et même de nos condos. De toutes les portes extérieures, c'est probablement la plus sollicitée. Pensez seulement au nombre de fois où vous l'ouvrez et la refermez durant la belle saison. Pas étonnant qu'elle ne coulisse plus aussi facilement qu'avant. Le problème est peut-être mineur, comme un mauvais réglage du mécanisme de roulement ou encore une glissière encrassée. S'il s'agit des roulettes qui se sont usées avec le temps, il suffit de se procurer un ensemble de remplacement vendu en quincaillerie. Cette réparation à faible coût nécessite le démontage de la porte, puis la pose et le réglage du nouveau mécanisme.

Mais avant de vous donner tout ce mal, vérifiez l'état général de la porte. Le vitrage est-il de type thermos ? De la buée apparaît-elle sur la surface vitrée ou entre les deux panneaux de verre ? Est-ce que l'eau s'accumule dans le bas de la porte ? Est-elle encore étanche et sécuritaire ? Le remplacement intégral de la porte coulissante peut s'avérer nécessaire, et c'est encore plus vrai si elle a passé le cap des 20 à 25 années de service.

Les problèmes de linteau sont aussi à surveiller (le linteau est-il sous-dimensionné, absent ou courbé ?), car ils peuvent aussi entraver le glissement de la porte.

Nous avons mentionné précédemment que les seuils de porte devaient être dégagés du sol d'au moins 6 po. Cette règle s'applique également à la surface d'une terrasse et d'un balcon, bref, de toute structure horizontale sur laquelle la neige peut s'accumuler, car cette dernière peut s'infiltrer en fondant. Puisque cette règle est rarement respectée dans le cas des portes-fenêtres, sortir la pelle durant l'hiver pour enlever la neige amoncelée au pied de la porte est une excellente idée.

LE CALFEUTRAGE

Le calfeutrage est souvent le cadet de nos soucis. Comme propriétaire, on en fait rarement notre priorité, cette tâche semblant si insignifiante comparativement à l'ensemble des travaux à effectuer dans une maison. Pourtant, l'absence de calfeutrant autour des ouvertures est à la source de bien des fuites et des infiltrations qui, à la longue, peuvent faire mal au portefeuille.

Faisons d'abord la distinction entre le calfeutrage intérieur et le calfeutrage extérieur, pour lesquels il convient de choisir le produit approprié. Alors que le premier a pour avantage de réduire les déperditions de chaleur vers l'extérieur, l'application de scellant à l'extérieur aide quant à elle à prévenir les infiltrations d'eau, d'air et de polluants dans la maison.

Avant d'entreprendre les travaux à l'extérieur, assurez-vous toutefois que l'intérieur est bien scellé et que cette protection offre une barrière étanche au passage de l'air. Sinon, l'air chaud et humide profitera du moindre interstice pour se faufiler dans le mur, où il risque de rester s'il n'a pas la possibilité de s'en échapper. En laissant l'humidité s'accumuler à l'intérieur du mur, celle-ci finira inévitablement par endommager ses composantes.

Il importe de bien choisir son moment pour refaire les joints de calfeutrant à l'extérieur. Un temps sec et une température oscillant entre 5 et 25 °C sont l'idéal. Aussi, avant de s'acquitter de cette tâche, on doit prendre soin de retirer le vieux cordon de scellant et de nettoyer les surfaces avec de l'acétone. Enfin, il est préférable d'opter pour un produit de qualité supérieure. Le respect de ces précautions évitera le remplacement de ces joints après quelques années.

Toutefois, les joints de calfeutrant ont une durée de vie limitée (qui peut être raccourcie si les directives ne sont pas suivies). Au moins une fois chaque année, faites le tour de la maison et inspectez le contour des ouvertures. Un cordon de calfeutrant desséché, fissuré ou qui n'adhère plus à la surface doit être refait sans tarder. Un joint en bon état conserve une certaine élasticité après le séchage.

▶ Les types d'ouverture des fenêtres

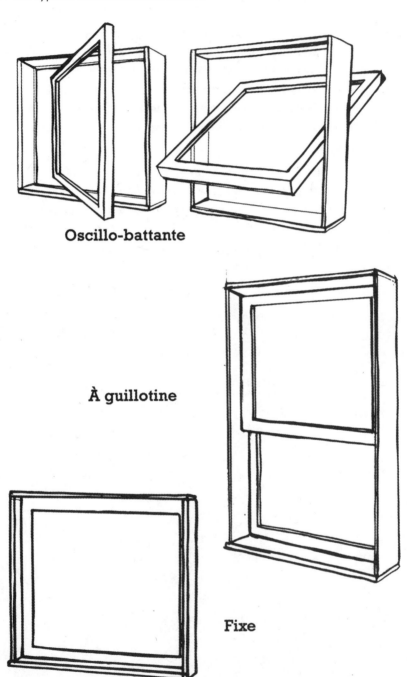

Oscillo-battante

À guillotine

Fixe

▶ Les types d'ouverture des fenêtres (*suite*)

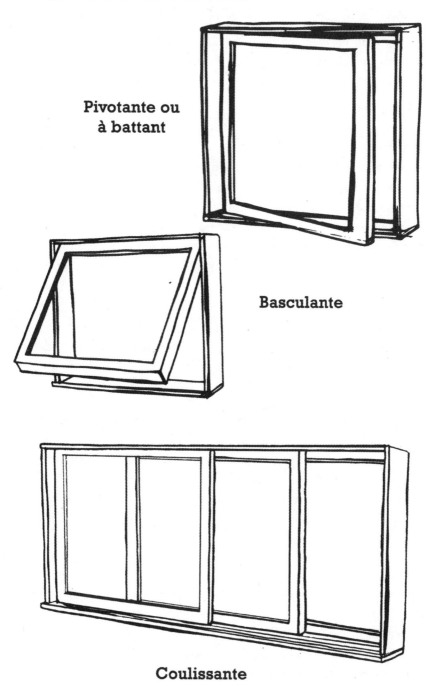

**Pivotante ou
à battant**

Basculante

Coulissante

LA CONDENSATION

Pourquoi la surface intérieure de mes fenêtres, qui ont été installées il y a moins de cinq ans, est souvent embuée en hiver ?

S'il est vrai que les vieilles fenêtres sont souvent embuées, voire givrées, il n'est pas rare de voir de la condensation apparaître sur le vitrage d'une fenêtre neuve à haut rendement énergétique. Bien qu'on ne peut écarter d'emblée la possibilité qu'une fenêtre soit déficiente ou qu'elle ait été mal installée, le phénomène s'explique la plupart du temps par un excès d'humidité. En effet, l'air ambiant de la maison contient une certaine quantité d'eau sous forme gazeuse (vapeur d'eau). En d'autres mots, plus l'air est chaud, plus sa capacité à contenir de la vapeur d'eau est grande. En réduisant sa température, il ne peut en contenir autant ; une partie de l'eau présente sous forme gazeuse redevient alors liquide. C'est exactement ce qui se produit lorsque, à l'intérieur de la maison, l'air chargé d'humidité entre en contact avec une surface plus froide comme une vitre. Ce contact abaisse sa température, donc sa capacité à contenir de la vapeur d'eau diminue ; il y a alors de la condensation, c'est-à-dire que l'eau passe d'une forme gazeuse à une forme liquide. C'est à ce moment qu'elle est sujette à poser problème.

L'humidité est bel et bien présente dans nos maisons et sa provenance est variée. En présence d'un certain niveau, il importe de déterminer la source du problème (voir chapitre *Isolation et ventilation*). Outre les facteurs extérieurs et l'étanchéité du bâtiment, il faut considérer les éléments causant ce phénomène à l'intérieur de la maison, comme des rideaux fermés à longueur de journée en hiver, un mauvais emplacement des sources de chaleur (plinthes électriques, appareil à convection), du bois de chauffage entreposé au sous-sol ou un impressionnant rassemblement de plantes.

À noter que les occupants eux-mêmes – le seul fait qu'ils suent et qu'ils respirent – ainsi que leurs activités domestiques ont une incidence sur le taux d'humidité ambiant. Par exemple, les douches longues et fréquentes, la cuisson des aliments, la lessive qui n'en finit plus ainsi que les vêtements mis à sécher sont des exemples d'activités créant beaucoup de vapeur d'eau.

LA CONDENSATION LOCALISÉE

Qu'est-ce qui explique que du givre ou de la condensation apparaisse seulement sur les fenêtres situées à l'étage, et non sur celles situées au rez-de-chaussée?

Lorsque la maison est chauffée à l'arrivée des températures plus froides, le mouvement d'air à l'intérieur de la maison se dirige naturellement vers le haut. Ce phénomène s'appelle effet de cheminée. L'air extérieur s'infiltre par les parties basses de la maison et, lorsqu'il est réchauffé, il tend à s'élever, entraînant avec lui la vapeur d'eau qu'il contient. Cet air chaud et humide s'accumule aux étages supérieurs, et il cherchera à sortir par le toit. Si la fenestration à l'étage fait piètre figure sur le plan de l'étanchéité et de l'isolation, de la condensation, voire du givre, dans le pire des cas, se formera sur les surfaces vitrées. Pour éviter que les fenêtres ne s'embuent, il faut assurer un meilleur contrôle du taux d'humidité à l'intérieur de la maison durant la période hivernale. La première chose à faire est donc de déterminer quelles sont les conditions qui engendrent ce surplus d'humidité et quels sont les correctifs à apporter pour le réduire (voir chapitre *Isolation et ventilation*).

 Conseil

Un excès d'humidité à l'intérieur peut être expliqué par d'importants travaux d'isolation ou d'étanchéité survenus l'été précédent. L'enveloppe de la maison est ainsi plus étanche, donc l'échange d'air ne se fait plus aussi facilement et l'air humide est retenu à l'intérieur, sans possibilité de s'échapper. Dans un tel cas, une meilleure ventilation des lieux est nécessaire.

LA CONDENSATION – BUÉE ENTRE DEUX VITRES

Est-il possible de se débarrasser de la buée emprisonnée entre les deux vitres d'une fenêtre, sans avoir à la remplacer ?

Un vitrage de type thermos est composé de deux vitres séparées par un intercalaire. Ce dernier renferme des granules de silice (un agent dessiccant) dont le rôle est d'absorber l'humidité à l'intérieur de l'unité scellée. Or, avec l'ensoleillement et l'usure du temps, il est possible que le vitrage se descelle, c'est-à-dire que le joint sèche et se fissure, donc n'est plus aussi hermétique ; le gaz isolant ou l'air s'échappe et c'est alors que la vapeur d'eau (humidité) transportée dans l'air s'invite dans la cavité. La surface vitrée s'embue et l'humidité reste emprisonnée. Si on laisse aller les choses, le problème devient chronique et une pellicule blanchâtre translucide, due à la présence de silice dans l'intercalaire, se forme et s'incruste en permanence sur la paroi intérieure du verre.

On ne veut pas de fenêtres qui ne nous permettent pas d'y voir clair, mais faut-il les changer pour autant ? Tout dépend de l'âge et de l'état de la fenêtre. Si la situation perdure depuis longtemps, il est probable que les taches sur le vitrage soient indélogeables. Les châssis devront donc être changés. Dans les autres cas, il existe un procédé de désembuage reconnu qui offre l'avantage d'éliminer la saleté et l'humidité pour ainsi conserver les fenêtres encore plusieurs années. Le travail, qui est effectué par des entreprises spécialisées, consiste à percer deux trous minuscules (à peine visibles) dans les coins opposés de la vitre afin de nettoyer la surface intérieure du verre. Cela fait, les trous sont obturés avec des filtres transparents qui permettront la ventilation en facilitant l'évacuation de l'humidité et en aidant à maintenir la pression dans la cavité. Après quelques semaines, la vitre retrouvera son éclat et ses qualités isolantes. Résultats garantis.

LES FENÊTRES À HAUTE EFFICACITÉ

Est-il rentable d'investir dans des fenêtres dotées de vitrages scellés à haut rendement ?

Payer quelques milliers de dollars pour remplacer l'ensemble des fenêtres d'une maison en pensant récupérer son investissement à court terme avec les économies réalisées sur la facture de chauffage est illusoire. En optant pour de nouvelles fenêtres beaucoup plus performantes sur le plan de l'efficacité énergétique, vous verrez effectivement les frais de chauffage mensuels diminuer. Après tout, les portes et les fenêtres sont à l'origine de 15 à 25 % des pertes de chaleur dans une maison, voire plus si elles sont dans un piètre état. L'amortissement doit donc être envisagé sur plusieurs années.

Si l'on doit changer les fenêtres, il est préférable de le faire pour une raison de confort ou pour améliorer l'apparence de la maison, plutôt que pour une question d'argent.

 Conseil

Lors de travaux de réfection, on n'a pas toujours la possibilité de décider de l'emplacement et de l'orientation des fenêtres. Mais lorsque c'est possible, il est toujours bon de s'y attarder. On doit éviter les ouvertures donnant vers le nord et privilégier celles axées vers le sud et l'ouest.

LE CADRE ET LE VITRAGE DES FENÊTRES

Le cadre

- On trouve des cadres en métal (aluminium ou acier), en vinyle, en fibre de verre et en bois.
- Les matériaux sont souvent combinés.

Les vitrages

- Le vitrage isolé (double, triple ou quadruple) est maintenant un incontournable.
- Les vitrages doubles correspondent aux normes minimales.
- Les fabricants remplacent parfois l'un des panneaux de verre d'une fenêtre à triple ou à quadruple vitrage par une pellicule transparente en polyester; cela réduit ainsi son poids.
- Le gaz isolant présent entre les panneaux de verre permet de réduire le transfert de la chaleur.
- L'intercalaire qui sépare les deux panneaux doit être composé d'un matériau non conducteur.
- La surface d'un verre à faible émissivité (Low-E) est recouverte d'une couche d'oxyde métallique, réduisant ainsi les pertes de chaleur en période hivernale et les gains solaires en été, en plus de protéger contre les rayons UV.

LES PELLICULES PLASTIQUES

L'installation d'un plastique collé avec du ruban adhésif devant de vieilles fenêtres est-elle un moyen efficace de réduire les frais de chauffage ?

Le plastique dont il est question ici est une pellicule thermorétrécissable. Une fois qu'elle est en place, on la chauffe au moyen d'un séchoir à cheveux jusqu'à ce qu'elle soit bien tendue. Outre son prix abordable, le principal atout de ce type de système est sa facilité d'installation. La pellicule ne pourra cependant servir qu'une seule fois, et la bande adhésive double face qui la retient est difficile à retirer et peut même abîmer les finis peints. De plus, elle limite l'accès aux fenêtres durant toute la saison froide, bien qu'elle soit facile à percer. Évidemment, ce dernier point peut finalement être un inconvénient quand un chat ose y poser la patte ou que des enfants s'amusent à proximité.

Malgré ces quelques défauts, une telle pellicule contribue à réduire les mouvements d'air et à rendre une pièce plus confortable pour ses occupants. Elle convient aux fenêtres existantes à simple vitrage ainsi qu'à celles qui sont encore en bon état sans toutefois être aussi étanches qu'elles le devraient. Sa pose a un effet comparable à celui d'un vitrage double isolé, à la différence que l'espace séparant la pellicule plastique et la surface vitrée n'est pas rempli d'un gaz inerte comme de l'argon ou du krypton, mais simplement d'air, qui agit comme isolant.

En fait, si le tout est bien scellé et que le passage de l'air n'est plus possible, la condensation, s'il y a lieu, apparaîtra non pas sur la vitre intérieure, mais sur la surface plastifiée. Ceci est donc un avantage si l'on considère que la fenêtre est ainsi protégée des problèmes liés à une humidité excessive, à la pourriture du cadre en bois et à la prolifération de moisissures, entre autres. L'utilisation d'une pellicule doit donc être envisagée comme une solution temporaire, car sa performance n'égalera jamais celle d'une fenêtre à double vitrage.

Conseil

Une autre façon, elle aussi provisoire, d'étancher des fenêtres et de diminuer la facture de chauffage est d'appliquer un scellant amovible à la jonction du mur et des boiseries, entre le cadre des fenêtres et ses boiseries et, pour obtenir une plus grande efficacité, autour des châssis. S'il n'est pas nécessaire d'ouvrir la fenêtre durant la période hivernale et si d'autres sorties de secours sont présentes, le calfeutrage peut s'avérer encore plus rentable que la pose d'une pellicule en ce qui a trait à la réduction des fuites d'air. Pourquoi ? Parce que le calfeutrant est appliqué en un cordon continu directement là où il y a faiblesse, c'est-à-dire au niveau des joints. À supposer que la pellicule plastique comporte une petite perforation, l'air passera et aura tôt fait de s'échapper à l'extérieur.

LE MÉCANISME DE FERMETURE

Bien que les fenêtres soient neuves, les châssis sont difficiles à ouvrir. Est-ce parce que la fenêtre a été mal installée ou parce que le mécanisme est déficient?

On utilise souvent de la mousse d'uréthane giclée pour isoler l'espace entre le cadre de fenêtre et l'ouverture dans laquelle il s'insère. Ce produit expansible est tout indiqué pour les endroits exigus et les cavités dont l'accès est difficile. Il gonfle, remplit tout l'espace et durcit en séchant. Des problèmes peuvent survenir si la quantité de mousse appliquée est inadéquate. Par exemple, une trop grande quantité de mousse déformera le cadre de la fenêtre en raison de son expansion; les châssis seront donc plus difficiles à manipuler.

D'autres facteurs peuvent nuire au bon fonctionnement d'une fenêtre. Parmi les autres causes possibles, il y a:

- l'absence ou l'affaissement d'un linteau au-dessus de l'ouverture;
- une déformation à la suite d'un mouvement structural;
- l'expansion du bois qui compose le cadre;
- des coupe-froid mal installés;
- un bris du mécanisme d'ouverture et de fermeture.

Il est possible de remplacer les pièces défectueuses d'un mécanisme (probablement encore couverts par la garantie du fabricant, si les fenêtres sont récentes). On recommande aussi d'en faire l'entretien périodiquement, soit de nettoyer la quincaillerie et de lubrifier les pièces mobiles, et ce, au moins une fois par année. À noter que les coupe-froid méritent la même attention.

LES LANTERNEAUX (PUITS DE LUMIÈRE)

Peut-on condamner facilement un lanterneau ou faut-il refaire la toiture ?

Les lanterneaux popularisés dans les années 60 sont encore utilisés aujourd'hui afin d'apporter de la luminosité aux pièces peu éclairées. Et bien qu'on aime l'idée de pouvoir profiter d'encore plus de clarté à l'intérieur de nos maisons, il faut savoir que les lanterneaux sont sujets à l'infiltration d'eau. Faut-il s'en étonner ? Un puits de lumière est une ouverture créée dans une toiture afin d'y installer une fenêtre adaptée. Et quand l'eau ruisselle sur un toit, il faut s'assurer que l'installation est parfaitement étanche, sinon...

On s'en doute, les premiers modèles faisaient piètre figure en matière d'étanchéité. Les fabricants se sont ajustés, les normes d'installation ont été resserrées, mais ces nouvelles mesures de prévention ne sont pas une garantie que les puits de lumière ne connaîtront pas leur lot d'ennuis avec les années. Il vaut mieux rester aux aguets et les inspecter régulièrement.

Bien que les lanterneaux soient soumis aux mêmes normes que les fenêtres, quand vient le temps de les remplacer, il est inutile de songer à une réfection. On change le tout ou l'on referme le trou. On a déjà vu des gens recouvrir leur vieux lanterneau fuyant de partout d'une bâche et d'un panneau de contreplaqué devant faire office de barrière au passage de l'eau. Assurément, la moisissure s'est mise de la partie...

Si le choix est de condamner le lanterneau, la seule option possible est de le retirer, de fermer l'ouverture et de refaire le revêtement.

 Conseil

On évite d'installer un puits de lumière à un endroit où le taux d'humidité est élevé comme près d'une cabine de douche dans la salle de bains, ou juste au-dessus d'un comptoir dans la cuisine. Par temps froid, la vapeur d'eau se condensera au contact de la surface vitrée et risque alors de s'égoutter sur le plancher.

LES PUITS DE FENÊTRE

Doit-on aménager une margelle à la fenêtre d'un sous-sol?

On utilise couramment le terme «margelle» pour désigner un puits de fenêtre ou un puits de lumière aménagé devant une fenêtre pour la dégager du sol. La margelle désigne également la paroi (en pierre, en béton ou en tôle ondulée) qui délimite l'espace de dégagement et qui retient le sol. Le puits de fenêtre comporte en son centre un tuyau rempli de pierre concassée descendant jusqu'au drain situé au pied des semelles de la fondation, et il est constitué d'une bonne épaisseur de remblais drainants.

La distance entre le sol fini et le bas de la fenêtre doit être d'au moins 6 po. Lorsqu'on achète une maison neuve, il arrive qu'on y aménage alors que le terrain est encore «en chantier». Le dégagement avec les fenêtres du sous-sol est alors suffisant, mais une fois les travaux de terrassement terminés, il ne l'est plus. La solution: aménager un puits de fenêtre. Évidemment, rien ne vous y oblige, mais les margelles ont fait leur preuve. Si la fenêtre n'est pas assez éloignée du sol, la neige s'accumulera devant la fenêtre tout au cours de l'hiver, jusqu'à atteindre une certaine hauteur. Au moment de la fonte printanière, l'eau cherchera à s'infiltrer par le seuil et les coins de la fenêtre. Cette situation est favorable à la prolifération de moisissures et à la détérioration des finis intérieurs.

L'ALLÈGE, LE LINTEAU ET LEURS PROBLÉMATIQUES

L'allège désigne la partie du mur située entre le plancher et le bas d'une fenêtre. Ce terme est également employé pour désigner l'appui en saillie de la fenêtre. Dans un parement en maçonnerie, cet appui est rarement fait d'un seul tenant, mais plutôt composé de deux ou trois éléments de maçonnerie joints avec du mortier. Avec une durée de vie estimée à 25 ans, et parfois plus, les joints de mortier nécessitent généralement peu d'entretien. Dans le cas d'une allège jointoyée, il faut toutefois demeurer plus vigilant, car les joints se révèlent plus sensibles aux cycles de gel et de dégel parce qu'ils sont horizontaux plutôt que verticaux. S'ils ne sont pas entretenus, les joints se fissurent et s'ouvrent, permettant à l'eau de se frayer un chemin derrière le mur. En présence de joints détériorés, il faut refaire le mortier et enduire l'allège d'un produit imperméabilisant spécialement conçu pour la maçonnerie. Les allèges doivent non seulement être étanches, mais également légèrement inclinées pour diriger l'eau vers l'extérieur.

Dans le même ordre d'idée, le dessous d'un appui en maçonnerie devrait être rainuré (larmier) sur toute sa longueur afin que l'eau puisse s'égoutter loin du parement, évitant ainsi qu'elle ne ruisselle sur le mur en suivant l'allège.

Si l'allège correspond au bas de la fenêtre, le linteau, lui, est un élément de charpente placé à l'horizontale au-dessus de la fenêtre ; il reçoit les charges de la structure et les transfère aux montants de chaque côté de la fenêtre. Le problème le plus souvent rencontré est l'affaissement. Lorsqu'un linteau a fléchi, il est plus difficile d'ouvrir la fenêtre et le verre est souvent cassé. Parfois, il faut aussi composer avec la rouille des linteaux d'acier utilisés au-dessus des ouvertures dans un parement de maçonnerie. La corrosion entraîne un gonflement du linteau et la fissuration du mortier installé sur le haut de la fenêtre, ayant pour conséquence de permettre à l'eau de s'infiltrer.

Et quand l'eau s'infiltre, elle est sujette à laisser sa trace sur les finis intérieurs (taches sur le mur, peinture qui s'écaille). Si les dommages s'observent dans le haut de la fenêtre, on peut supposer que c'est le linteau qui fait défaut ; si on les observe dans le bas de la fenêtre, on soupçonne alors l'allège.

5

ISOLATION ET VENTILATION

LES ISOLANTS

On choisit un matériau isolant en fonction de l'usage qu'on souhaite en faire. Les facteurs à considérer sont :

- l'emplacement de son utilisation (à l'intérieur ou à l'extérieur) ;
- sa résistance à l'humidité (propriété pare-vapeur) ;
- sa résistance aux variations de température ;
- l'accessibilité et la dimension des espaces à remplir.

On veut qu'un bon isolant :

- résiste aux fluctuations de chaleur ;
- comble tous les vides ;
- soit durable ;
- soit facile à poser.

Parmi les différents types de produits offerts sur le marché, on trouve les isolants :

- en matelas (fibre de verre, laine minérale) ;
- en vrac (fibre de verre, fibre minérale, fibre cellulosique) ;
- en panneaux (polystyrène expansé et extrudé, fibre minérale et fibre de verre rigide, polyisocyanurate) ;
- giclés (cellulose, polyuréthane).

LE FACTEUR D'ISOLATION

Qu'est-ce que la valeur R d'un isolant?

À une époque où le choix de matériaux était beaucoup plus limité, on se basait sur l'épaisseur de l'isolant pour évaluer ses performances. Aujourd'hui, ce sont les valeurs R et RSI qui déterminent l'efficacité d'un matériau isolant. Ces valeurs sont synonymes, la cote R correspondant au système impérial et la cote RSI étant son équivalent métrique (la valeur RSI est égale à la valeur R multipliée par 0,1718).

Ces cotes établissent la résistance thermique des matériaux. Plus elles sont élevées, plus le matériau s'oppose au transfert de chaleur, c'est-à-dire que la chaleur traversera l'isolant moins rapidement. Le Code du bâtiment prescrit les cotes R minimales pour les différentes parties du bâtiment: toiture, murs de charpente, murs du sous-sol, planchers, etc. Au cours des dernières années, les valeurs R et RSI ont été revues à la hausse afin de répondre aux nouvelles exigences en matière d'efficacité énergétique.

LE PARE-VAPEUR ET LE PARE-AIR

Le pare-vapeur

- Il empêche l'humidité de migrer à travers l'enveloppe du bâtiment et de se condenser à l'intérieur du mur, au contact des parties plus froides;
- On l'installe du côté chaud de l'enveloppe;
- Il n'est pas nécessaire qu'il soit continu;
- Différents matériaux peuvent servir de pare-vapeur, le plus connu étant la membrane de polyéthylène

Le pare-air

- Il bloque le flux d'air de l'intérieur vers l'extérieur;
- Il doit être considéré comme un système plutôt qu'une membrane unique;
- Il est formé de plusieurs matériaux scellés les uns aux autres;
- Son emplacement (du côté chaud ou du côté froid de l'enveloppe) importe peu;
- Il doit être continu et étanche;
- Il doit résister aux mouvements de l'air et aux différences de pression.

L'ABSENCE D'UN PARE-VAPEUR

Faut-il retirer l'isolant d'un entretoit avant d'y installer un pare-vapeur?

Le déplacement de l'humidité à l'intérieur d'un bâtiment se fait principale-ment de deux façons: par diffusion (on dit aussi migration) ou par fuite. Un surplus d'humidité dans l'espace situé sous le toit est généralement causé par la vapeur d'eau transportée dans l'air. La migration de l'humidité s'explique par la pression de la vapeur. Quand il y a plus d'humidité à un endroit qu'à un autre, la différence de pression entre ceux-ci cherche à s'équilibrer, ce qui explique pourquoi l'humidité se déplace.

Ce déplacement d'air, qui est très lent, contient un volume négligeable d'hu-midité. Si la migration est de moindre importance, l'absence d'un pare-vapeur dans l'entretoit ne devrait pas poser problème. On prétend même que l'applica-tion de deux couches de peinture à l'huile sur un plafond qui n'est pas poreux peut faire office de pare-vapeur en bloquant le passage de l'humidité. Il faut cependant voir à limiter les fuites d'air vers le grenier, car elles transportent avec elles une quantité beaucoup plus importante de vapeur d'eau. Ces fuites étant plus problématiques, il vaut mieux y voir rapidement avant qu'elles ne causent des dommages à la structure.

LA RÉDUCTION DES FUITES D'AIR

La réduction des fuites d'air est-elle aussi efficace que l'isolation sur le plan du rendement énergétique de la maison ?

Tout est relatif. Lorsqu'une maison comporte plusieurs faiblesses et que les fuites d'air sont suffisamment importantes pour se refléter sur la facture de chauffage, oui, il faut en faire une priorité. La réduction des fuites d'air est généralement la solution la plus rentable. L'investissement est minime par rapport aux économies qu'il sera possible de réaliser si l'on considère qu'environ le quart des pertes de chaleur d'une maison est attribuable aux fuites d'air.

Pour assurer l'étanchéité d'une maison, on mise :

- sur des coupe-froid installés sur les parties mobiles des portes et des fenêtres ;
- sur le calfeutrage intérieur, soit autour des cadres et des moulures des portes et des fenêtres ;
- sur l'installation de plinthes dans le bas des murs et sur toutes les autres ouvertures comme les prises et les interrupteurs, par lesquelles l'air cherchera à se faufiler.

Les travaux d'isolation sont généralement plus coûteux et la rentabilité n'est pas immédiate, bien que l'épargne soit réelle à long terme. Ils peuvent toutefois devenir nécessaires si l'isolation fait vraiment défaut et que la santé et le confort des occupants sont compromis. Après tout, personne n'aime vivre dans une maison où règnent les extrêmes : un froid polaire en hiver et une surchauffe en été, dans une maisonnée propice à la prolifération de moisissures.

LE VRC

Le sigle VRC signifie ventilateur récupérateur de chaleur, un appareil de ventilation mécanique destiné à améliorer la qualité de l'air à l'intérieur des maisons très étanches. En effet, avant d'être distribué dans toutes les pièces de la maison, l'air frais de l'extérieur est réchauffé ou refroidi au contact de l'air qui est évacué. Le principe est simple : en période de chauffage, la chaleur extraite de l'air intérieur est utilisée pour réchauffer l'air en provenance de l'extérieur. De même, en été, lorsque la climatisation est en fonction, l'échange est inversé : l'humidité est soutirée à l'air extérieur entrant et transférée à l'air évacué. Débarrassé de son humidité, l'air distribué dans chaque pièce de la maison est ainsi plus sec et, conséquemment, plus facile à refroidir.

Il existe différents types d'appareils sur le marché ; le choix du modèle et la façon dont il sera installé dépendent entre autres de l'emplacement, des dimensions de la maison ainsi que du système de chauffage présent dans la maison. La capacité d'un VRC est donnée en litres par seconde (L/s) ou en pieds cubes par minute (pi^3/min). La distribution de l'air peut se faire de deux façons : par le biais des conduits du système de chauffage à air pulsé ou d'un réseau indépendant à conduits directs, dans le cas des maisons chauffées avec des plinthes électriques, ou tout autre système sans conduits de ventilation.

▶ Système de ventilation utilisant un VRC

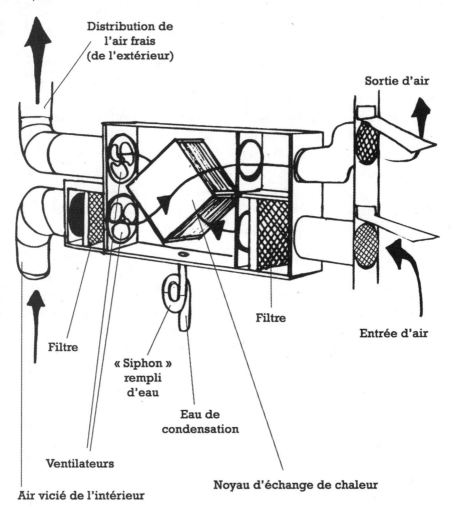

Distribution de l'air frais (de l'extérieur)

Sortie d'air

Filtre

Entrée d'air

Filtre

« Siphon » rempli d'eau

Eau de condensation

Ventilateurs

Noyau d'échange de chaleur

Air vicié de l'intérieur

L'INFILTROMÉTRIE

On a recours à l'infiltrométrie pour déterminer le nombre de changements d'air survenant chaque heure dans une maison. Cette évaluation théorique est basée sur des tables de calcul qui sont révisées annuellement. Bien que les tests se précisent chaque année, il ne s'agit pas d'une science exacte.

L'Office de l'efficacité énergétique offre aux propriétaires qui sont admissibles de participer au programme Rénoclimat, qui offre des subventions dans le cadre de travaux visant notamment à améliorer l'isolation et l'étanchéité d'une maison. La procédure à suivre est simple et consiste à prendre rendez-vous avec un conseiller afin de vérifier l'étanchéité du bâtiment au moyen d'un test d'infiltrométrie. À noter que le coût de la consultation est en partie remboursé à la suite d'une deuxième évaluation, une fois les travaux effectués.

Un rapport faisant le bilan de la situation énergétique de l'habitation, qui inclut la cote d'efficacité établie selon l'échelle ÉnerGuide, sera ensuite rédigé puis remis aux propriétaires. Le rapport comprend également une liste de recommandations, dont certains travaux d'amélioration (le cas échéant) pour lesquels une aide financière peut être octroyée.

Est-il plus rentable d'isoler une vieille maison par l'intérieur ou par l'extérieur?

Peu importe la façon de procéder, c'est l'action d'isoler qui est rentable. Il faut donc faire preuve d'une certaine logique et se questionner sur les projets de rénovation à venir. Avez-vous l'intention de changer le parement extérieur défraîchi? Car voilà une excellente occasion d'isoler la maison par l'extérieur. Aviez-vous plutôt l'intention de démolir des murs intérieurs ou de modifier certaines cloisons? Vous pourriez faire d'une pierre deux coups en profitant de l'occasion pour ajouter de l'isolant en augmentant l'épaisseur des cavités murales. Par exemple, si l'on cloue des pièces de 2 po x 2 po sur une ossature existante en 2 po x 4 po, on obtient pratiquement une structure de 2 po x 6 po, ce qui correspond aux normes actuelles.

Lorsqu'on opte pour l'isolation par l'extérieur au moyen d'un matériau isolant qui joue également le rôle de pare-air, il faut s'assurer de faire le travail correctement, c'est-à-dire de sceller tous les joints afin de stopper le flux d'air. Car si l'air s'infiltre, le facteur d'isolation sera réduit.

Les coûts liés à l'amélioration de l'isolation des murs sont importants, et l'investissement ne sera récupéré qu'à la suite de plusieurs années d'économie d'énergie. Il n'est peut-être pas nécessaire de tout reconstruire. Plutôt que de tout arracher et de recommencer à neuf, vous pouvez prioriser les endroits où il est le plus rentable de refaire l'isolation, comme la toiture, les murs du sous-sol et la solive de rive. Quelques modifications sont parfois suffisantes pour rendre la maison beaucoup plus confortable pour ses occupants.

L'ISOLATION – SOUS-SOL

Mon beau-frère a fait isoler son sous-sol par l'extérieur.
Est-ce que ce n'est pas bizarre ?

Le sous-sol est l'endroit où les pertes thermiques sont les plus élevées, d'où l'importance de bien l'isoler. Pour ce faire, il existe deux méthodes: par l'intérieur ou par l'extérieur. Lorsqu'on choisit d'isoler une maison par l'extérieur, on le fait généralement pour régler des problèmes liés à l'humidité. De tels travaux impliquent une excavation autour des fondations (pour remplacer un drain défaillant, colmater des fuites, étancher les murs, stabiliser le bâtiment au moyen de pieux, etc.). À moins que ce ne soit pour faire d'une pierre deux coups, entreprendre de creuser avec pour seul objectif d'isoler n'est certainement pas une option rentable.

Par contre, l'isolation d'une fondation par l'extérieur est la seule option possible lorsque le sous-sol est sujet à présenter un excès d'humidité. Il faut donc creuser, corriger le problème, imperméabiliser et isoler. C'est aussi la solution par excellence pour isoler une fondation composée de blocs de béton (et de moellons), qui comportent de nombreux joints de mortier plus sujets à laisser l'eau s'infiltrer. Un autre avantage non négligeable: le gain d'espace à l'intérieur lorsque les pieds carrés sont comptés.

Si, techniquement parlant, il est préférable d'isoler par l'extérieur, dans la plupart des cas on choisit de le faire par l'intérieur, et ce, simplement parce que c'est plus facile et plus pratique de procéder ainsi. C'est aussi moins coûteux. Il y a moins de contraintes de temps – pas besoin notamment d'attendre le dégel pour entreprendre les travaux – et ceux-ci peuvent être réalisés de concert avec l'aménagement du sous-sol.

L'URÉTHANE

Parmi les produits offerts sur le marché, ceux les plus couramment utilisés pour l'isolation intérieure d'un sous-sol sont l'isolant en matelas, l'isolant rigide et la mousse d'uréthane giclée.

Les murs du sous-sol étant sensibles à l'humidité et à la condensation, il est préférable que la couche d'isolant en contact avec la surface de béton soit appliquée de façon continue. Cette façon de faire offre l'avantage d'éliminer les ponts thermiques et, par conséquent, d'augmenter l'efficacité de l'isolant et d'éviter les conditions favorables au développement de moisissures.

Les panneaux d'isolant rigides comme le polystyrène extrudé performent bien, mais ils présentent les inconvénients suivants : ils sont entrecoupés de joints et leur adhérence est parfois compromise en raison de l'irrégularité du béton. Pour obtenir une protection isolante continue et étanche, le matériau par excellence est le polyuréthane giclé. On s'en sert beaucoup pour isoler les solives de rive. Bien qu'il soit plus cher et que son application soit réservée à des spécialistes, il présente une valeur R au pouce supérieure (R-6 comparativement à R-4 ou R-5 pour le polystyrène). Il remplit et scelle le moindre interstice, faisant fi des obstacles et de l'aspérité des surfaces. Il est à la fois pare-air et pare-vapeur et, tout comme le polystyrène, il doit être recouvert d'un matériau ignifuge comme du gypse.

LA VERMICULITE

Comment doit-on réagir lorsqu'on trouve de la vermiculite sous l'isolant en matelas, sachant que ce produit peut contenir de l'amiante ?

La vermiculite a été abondamment utilisée à partir des années 60, jusqu'à ce qu'on découvre qu'elle pouvait possiblement être contaminée par l'amiante. Son règne s'est donc achevé au milieu des années 80. La vermiculite est un minerai aux propriétés isolantes et ignifuges reconnues dans l'industrie. C'était le matériau par excellence pour divers besoins en isolation.

D'abord, il est important de savoir que ce ne sont pas tous les produits qui contiennent de l'amiante. Celui que l'on pointe du doigt aujourd'hui était autrefois vendu sous le nom de Zonolite et provenait d'une mine exploitée au Montana.

Ce n'est jamais une belle surprise de découvrir que son grenier renferme de la vermiculite. On ne peut cependant pas présumer qu'elle est contaminée à l'amiante. Pour s'en assurer, les propriétaires n'auront d'autre choix que de faire analyser des échantillons en laboratoire. Les coûts sont d'environ 500 $, un investissement qui en vaut la peine lorsqu'on désire en avoir le cœur net.

Ensuite, il faut savoir que l'amiante n'est toxique que lorsque les fibres se retrouvent en suspension dans l'air et qu'elles sont inhalées. Si vous choisissez de ne pas déplacer la vermiculite et de la laisser en place sans y toucher, il n'y a pas de danger. Par contre, si vous prévoyez la faire retirer, il est important de retenir les services d'un entrepreneur spécialisé, qui effectuera les travaux conformément aux exigences du Code de la sécurité pour les travaux de construction.

UN ISOLANT MOUILLÉ

Doit-on remplacer un isolant qui a été mouillé ou peut-on simplement le laisser sécher?

L'isolant est-il humide ou a-t-il été mouillé? S'il s'agit d'un matériau isolant en matelas posé sur le plancher du grenier et qu'il est imbibé d'eau au point où il s'est affaissé, il doit être remplacé. Par contre, si le matelas est simplement humide et qu'il s'est légèrement compacté, il est fort probable qu'il sèche en place l'été venu en raison de la chaleur qui s'accumule habituellement dans un espace situé sous le toit. On ne doit pas s'en inquiéter, car une fois sec, il retrouvera son épaisseur initiale et son pouvoir isolant. Par contre, il est impératif de corriger le problème qui a causé cette absorption d'humidité (toiture qui coule, mauvaise ventilation, manque d'isolation, etc.).

Un matériau isolant qui perd de son volume n'est plus aussi performant. C'est le cas d'un isolant détrempé, mais cela vaut également pour un isolant piétiné. Lorsqu'on marche sur un matériau isolant (ce qui peut arriver lorsqu'on circule dans un entretoit), il s'écrase et perd de l'air; par conséquent, il perd une partie de sa conductivité thermique et se révèle moins efficace. Cela vaut pour les matelas, la cellulose et tous les autres isolants. Avec la cellulose, il n'est pas rare de voir les traces de pas de quelqu'un qui s'est déplacé dans le grenier. Avant de refermer la trappe d'accès, l'idéal est de replacer la cellulose en la brassant légèrement en surface avec un bâton, histoire de lui redonner un peu d'air.

LA TRAPPE D'ACCÈS À L'ENTRETOIT

Doit-on remplacer les matelas d'isolant disposés autour de la trappe d'accès au toit lorsqu'ils sont noircis à certains endroits ?

Les infiltrations d'air font noircir l'isolant. De telles traces peuvent être observées autant dans les murs (particulièrement autour des prises de courant et des ouvertures comme les portes et les fenêtres) ainsi que dans la toiture, au niveau de la trappe donnant accès à l'entretoit, mais aussi à proximité des luminaires installés au plafond et de la cheminée qui traverse l'espace sous le toit.

Si l'isolant a perdu de sa couleur d'origine et qu'il a noirci en surface, cela ne veut pas dire qu'il n'est plus bon, mais plutôt qu'il est sale. En effet, c'est la poussière transportée par le flux d'air qui cause ce phénomène. Il est vrai qu'un isolant très poussiéreux deviendra moins performant au fil du temps, car il contient moins d'air et que c'est à l'air que revient le pouvoir isolant d'un matériau. Toutefois, lorsque l'isolant est accessible et que les traces sont bien visibles, il est alors beaucoup plus facile de repérer les fuites d'air.

LE GIVRE

Est-ce le manque d'isolation ou de ventilation qui explique que du givre se forme sur les clous qui transpercent le support de couverture en hiver ?

La présence de givre est un indice qu'il y a un surplus d'humidité à l'intérieur de la maison et que cette humidité cherche à s'installer dans l'entretoit (niveau supérieur) durant la période hivernale. Y a-t-il une fissure ou toute autre ouverture non étanche permettant à l'air chaud et chargé d'humidité de pénétrer dans le grenier ? L'évacuation du conduit de la sécheuse, du ventilateur de la salle de bains ou de l'évent de plomberie débouche-t-elle directement dans l'espace situé sous le toit ? Est-ce que la sortie d'un conduit placé à proximité d'un ventilateur ou d'un évent de pignon se serait débranchée sans que personne ne s'en rende compte ?

D'abord, il faut identifier la source de l'excès d'humidité. Parfois, la situation dure depuis plus longtemps qu'on ne le pense. Les clous sont-ils rouillés ? L'isolant est-il taché ponctuellement ? Si oui, c'est que le problème ne date pas d'hier. Il est d'autant plus pressant de remonter jusqu'à la source.

LES ENDROITS PROPICES AUX FUITES D'AIR

Les maisons ont beau être différentes les unes des autres, c'est à peu près toujours aux mêmes endroits que se trouvent les fuites d'air.

- Il y a d'abord les ouvertures percées dans les murs. On pense notamment aux cadres des portes et des fenêtres, qui méritent d'être calfeutrés avec le plus grand soin. Il faut aussi penser aux prises de courant, aux plafonniers, à l'emplacement du panneau de distribution et des tuyaux, au foyer et à sa cheminée, à la trappe d'accès à l'entretoit, etc.
- Un autre emplacement névralgique est la solive de rive, là où la structure de plancher du rez-de-chaussée repose sur la fondation. Il faut donc l'isoler et la sceller en priorité, le produit idéal pour y parvenir étant la mousse d'uréthane giclée.
- Une autre source importante de fuites d'air moins évidente est les coins du bâtiment. Dans les constructions neuves à haute efficacité énergétique, on prend soin d'assurer leur bonne étanchéité.

► Les endroits propices aux fuites d'air

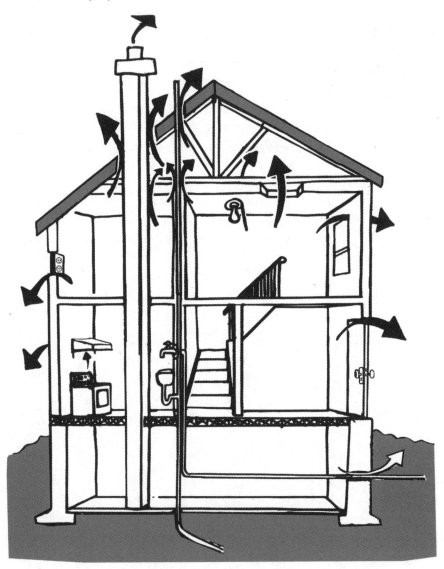

LES ÉCHANGEURS D'AIR

Un échangeur d'air est-il essentiel dans une vieille maison?

À partir du moment où des travaux de rénovation touchant à l'enveloppe du bâtiment sont effectués afin d'améliorer le bilan énergétique – comme l'ajout d'isolant, le remplacement de fenêtres désuètes par de nouveaux modèles à haute efficacité, l'installation d'un système de chauffage à haut rendement –, l'ajout d'un échangeur d'air s'avère un incontournable. La maison, qui jusqu'à présent respirait d'elle-même, devient désormais beaucoup plus étanche qu'elle ne l'était. L'échange d'air qui se faisait alors naturellement en raison des infiltrations et des sorties à travers l'enveloppe n'est plus; la maison doit maintenant pouvoir compter sur une ventilation mécanique afin que les occupants puissent profiter d'un air de bonne qualité. Un échangeur d'air comme le VRC représente donc le poumon de nos maisons modernes.

Il n'y a pas de compromis à faire sur la qualité de l'air intérieur, et c'est pour cette raison qu'il vaut peut-être mieux consulter un spécialiste en ventilation pour s'assurer que l'installation est adéquate et que les débits d'air sont équilibrés. Il faut entre autres veiller à ce qu'un apport d'air frais se retrouve dans chacune des pièces et que des extracteurs d'air vicié sont présents dans les espaces communs.

La fonction première d'un échangeur d'air est de faire entrer de l'air frais et d'évacuer l'air vicié. Dans la mesure du possible, on doit éviter les modèles multi-fonctions comme ceux à filtration Hepa. Ces appareils sont plus coûteux, mais généralement peu performants, leur capacité de filtration étant insuffisante. Si l'objectif est de filtrer l'air, il est préférable d'opter pour un système indépendant. Aussi, on privilégie les équipements dotés d'un noyau de récupération en métal plutôt qu'en polypropylène, car ils sont plus efficaces sur le plan de l'économie d'énergie.

Un échangeur d'air n'est pas un appareil destiné à améliorer le bilan énergétique d'une maison ou à réduire les frais de chauffage. Les coûts liés à son utilisation annuelle varient entre 150 et 200$. On investit donc une partie de ce qu'on économise en éliminant les fuites pour changer l'air.

L'ÉCHANGEUR D'AIR – UTILISATION

Un échangeur d'air doit-il toujours être en fonction ou si sa fréquence d'utilisation doit être adaptée chaque saison?

Un échangeur d'air (VRC) doit idéalement fonctionner en continu, et ce, peu importe la saison. On peut déroger à la règle si, une fois la saison de chauffage terminée, on a l'habitude d'ouvrir les fenêtres pour rafraîchir et renouveler l'air intérieur. Par contre, si la maison est climatisée en été, donc que les fenêtres sont fermées, l'appareil doit fonctionner.

Il est aussi plus important de contrôler l'apport d'air frais nécessaire pour maintenir la qualité de l'air intérieur que la fréquence d'utilisation du système. Car lorsqu'il est bien installé, correctement balancé et en fonction 24 heures par jour, 7 jours par semaine, il est presque improbable qu'un excès d'humidité se fasse sentir dans la maison. Si l'on constate l'apparition de buée sur les fenêtres, c'est un bon indice que le débit d'air n'est pas suffisant (l'appareil fonctionne à basse vitesse ou il est défectueux). Pour éviter que les fenêtres ne s'embuent, l'échangeur d'air devra être réglé à plus haute vitesse.

 Conseil

Un échangeur d'air doit être entretenu au moins deux fois par année. Il faut d'abord retirer la saleté accumulée dans le filtre : il suffit de le nettoyer avec l'aspirateur, de le laver avec une eau savonneuse et de le laisser sécher. À noter que la fonction première des filtres n'est pas d'améliorer la qualité de l'air distribuée dans la maison, mais d'empêcher les grosses particules d'entrer dans le noyau de récupération de la chaleur.

Le nettoyage du noyau se fait avec une eau savonneuse additionnée d'un peu d'eau de Javel. Il importe de vérifier le registre d'entrée d'air pour s'assurer qu'il n'est pas obstrué par des débris. En l'entretenant de temps en temps, l'apport d'air ne s'en portera que mieux. On en profite également pour jeter un œil sur l'état des conduits et l'on remplace les pièces abîmées. Il va de soi que, plus l'entretien est régulier, plus l'appareil et son filtre seront faciles à nettoyer.

L'HUMIDITÉ AMBIANTE

Quel est le taux d'humidité souhaitable à l'intérieur de la maison selon les saisons ?

Le taux d'humidité souhaitable à l'intérieur d'une habitation dépend de la température extérieure. Durant la période de chauffage hivernale, ce taux doit varier entre 25 et 40 %, et augmenter au même rythme que la remontée du mercure. Par exemple, s'il fait -25 °C à l'extérieur, le taux d'humidité relative recommandé à l'intérieur sera de 20 % ; s'il fait plutôt -12 °C ou -5 °C, les taux respectifs seront de 30 et 40 %. En deçà de 20 %, les occupants pourraient ressentir une irritation de la gorge, l'air étant trop sec. Au-delà de 50 %, les fenêtres seront constamment embuées, voire givrées.

Lorsque la maison n'est pas climatisée durant l'été et qu'elle est aérée naturellement en ouvrant les fenêtres, le degré d'humidité à l'intérieur est sensiblement le même qu'à l'extérieur. Si les espaces sont climatisés, il faut s'assurer de garder le taux d'humidité en deçà de 50 %. Car lorsque le taux d'humidité ambiant dépasse ce seuil, les occupants commencent à ressentir un certain inconfort. Pourquoi ? Parce que le contenu en vapeur d'eau dans l'air étant très élevé, ils auront davantage de difficulté à dégager leur propre humidité corporelle, modifiant ainsi leur perception de la chaleur. De là naît l'inconfort.

LES EXTRACTEURS D'AIR

Quels sont les extracteurs d'air recommandés pour une salle de bains qui n'est pas équipée d'un ventilateur ?

Si votre salle de bains n'est pas équipée d'un extracteur d'air, le moment est peut-être venu d'en installer un. Le Code du bâtiment en oblige d'ailleurs l'installation dans toute nouvelle construction. La capacité d'un ventilateur se mesure en litres par seconde et trouve son équivalence en pieds cubes par minute. Le Code exige un modèle d'une capacité minimale de 50 pi^3/min comportant une sortie extérieure. C'est un minimum. L'idéal est d'opter pour un extracteur d'air d'une capacité d'au moins 90 pi^3/min, dont le niveau sonore ne dépasse pas les 2,5 sones. Le conduit d'évacuation doit présenter un diamètre d'au moins 4 po et comporter un clapet en acier galvanisé muni de volets contrebalancés.

Idéalement, le ventilateur doit être lié à une minuterie d'une trentaine de minutes plutôt que d'être actionné au moyen d'un interrupteur à bascule. Une fois la douche terminée, le ventilateur doit fonctionner une bonne dizaine de minutes de plus afin d'évacuer le surplus d'humidité.

Parce qu'on aime s'équiper de ce qui se fait de mieux, on sera peut-être tenté de se tourner vers un appareil beaucoup plus puissant (capacité de 160 pi^3/min). À moins que la pièce soit assez grande ou qu'elle n'accueille un spa ou autre bain thérapeutique, il n'est pas nécessaire de viser aussi haut. Ce n'est pas avantageux, car la chaleur est extraite trop rapidement et on aura froid en prenant sa douche.

 Conseil

Puisque les vieilles maisons ne sont pas soumises aux mêmes règles, la présence d'un ventilateur n'est pas obligatoire, à moins que la pièce ne comporte aucune fenêtre. S'il y en a un et que l'humidité règne malgré tout, vérifiez son efficacité en faisant le test du mouchoir. Si le ventilateur peine à retenir un mouchoir placé devant sa grille, c'est qu'il n'est pas suffisamment puissant. Bref, c'est le genre de « tire-pet » qu'on devrait s'empresser de remplacer !

LES ODEURS D'HUMIDITÉ

Comment se débarrasser de l'odeur de moisi et d'humidité qui règne dans le sous-sol durant l'été, même si celui-ci est aéré fréquemment?

En été, on a le réflexe d'ouvrir les fenêtres du sous-sol pour faire entrer l'air frais et se débarrasser de l'excès d'humidité qui y règne. Ce n'est pourtant pas la bonne façon de faire, parce qu'au lieu de réduire le taux d'humidité, on ne fait que l'augmenter.

Imaginons une belle journée d'été ensoleillée. L'air est chaud et le taux d'humidité est d'environ 80%. En supposant que l'air extérieur est le contenant et que le taux d'humidité est le contenu, on en déduit que ce contenant est rempli à 80%. Si on réchauffe le contenant (l'air), il se dilate; si on le refroidit, il rétrécit. En prenant l'air extérieur pour le faire entrer dans le sous-sol, qui est de quelques degrés plus frais que la température qu'il fait dehors, le contenant change: il rapetisse et l'humidité relative augmente, car sa capacité à contenir de l'humidité est moindre. On pense donc à tort que l'ouverture des châssis nous procurera un meilleur confort en réduisant le taux d'humidité ambiant à l'intérieur du sous-sol alors que, au contraire, on ne fait qu'empirer la situation!

Cela ne signifie pas qu'il faut laisser les fenêtres fermées en tout temps durant la période estivale. Il faut simplement savoir choisir les bons moments. Les journées plus froides et les soirées plus fraîches en font partie. Il doit faire moins chaud à l'extérieur qu'à l'intérieur.

Lorsqu'on descend au sous-sol et qu'on y détecte une petite odeur d'humidité, la solution consiste à mettre en marche le système de chauffage et d'ouvrir la porte du rez-de-chaussée qui donne accès au sous-sol. Inutile de chauffer très longtemps: une trentaine de minutes suffisent habituellement pour chasser l'odeur. C'est une façon somme toute économique de renouveler l'air du sous-sol.

On peut aussi installer un déshumidificateur à évacuation d'air (Humidex) au sous-sol. Cet appareil compact sur colonne est doté d'un ventilateur intégré et d'une prise d'air sur sa partie inférieure. L'appareil soutire l'air près du plancher et l'évacue à l'extérieur de façon continue. Il réduit ainsi l'humidité et les odeurs de moisi, tout en améliorant la qualité de l'air intérieur. On le laisse fonctionner tout l'été et on le range avec le retour du temps froid, car l'humidité au sous-sol est un problème peu courant en hiver, à moins qu'il n'y ait des infiltrations d'eau ou qu'on ait affaire à un vide sanitaire.

Si le sous-sol n'est pas humide, un mouvement d'air naturel par convection se produit lorsqu'on passe en mode chauffage. L'air présent au niveau du sol, qui est réchauffé par la plinthe électrique, tend à s'élever, donc l'humidité migre vers le haut pour revenir s'installer au sous-sol seulement quand il fait beaucoup plus chaud à l'extérieur.

ZOOM SUR...

LE PONT THERMIQUE

Un pont thermique est une rupture dans l'enveloppe du bâtiment ; il s'agit d'un point de contact entre un matériau situé du côté chaud et un autre situé du côté froid de l'enveloppe. Les ponts thermiques sont conducteurs. Ils sont en bonne partie responsables des déperditions de chaleur et des sources d'inconfort pour les occupants d'une maison. Il faut voir l'isolant comme une barrière entre ce qui est plus chaud et ce qui l'est moins. Cette barrière, son nom le dit, isole les éléments en ralentissant le flux thermique (le transfert de chaleur).

LES INDICES QU'UNE MAISON EST MAL ISOLÉE

On sait qu'une maison est mal isolée quand...

- la surface des murs et des planchers est froide au toucher en hiver ;
- la chaleur est étouffante à l'intérieur en été ;
- la facture d'électricité est élevée (frais de chauffage en hiver, climatisation en été) ;
- la chaleur n'est pas uniforme d'une pièce à l'autre ;
- de la moisissure s'est formée en raison de la présence de ponts thermiques.

6

PLOMBERIE

LE BONHOMME

Difficile de savoir pourquoi on l'appelle le «bonhomme» ou le «bonhomme à eau», mais c'est pourtant le nom qu'on a donné à la boîte de service qui fait le lien entre le réseau domestique et le réseau municipal. Concrètement, il s'agit d'une vanne d'entrée d'eau potable, la plupart du temps enfouie dans le sol sur le terrain en façade d'une maison, plus précisément entre l'emprise de la ville et le raccordement de la résidence. Pour le repérer, il faut chercher un couvercle (pastille de métal) d'environ 10 cm de diamètre au niveau du sol. Si vous l'avez cherché en vain et que vous envisagez de refaire votre terrassement ou encore des travaux de plomberie, communiquez avec le service des travaux publics de votre municipalité, qui pourra vous aider à localiser son emplacement.

L'EXÉCUTION DES TRAVAUX

Lors de travaux de plomberie, faut-il obligatoirement engager un plombier certifié ?

La réglementation en vigueur au Québec (Code de plomberie 2005, article 1.2.2) précise que seuls le propriétaire de la maison et l'entrepreneur spécialisé détenteur d'un permis en plomberie peuvent exécuter des travaux de plomberie résidentiels. Si vous êtes un bricoleur le moindrement débrouillard et que vous vous sentez d'attaque, vous pourrez vous acquitter de la tâche sans trop de difficultés ; vous êtes en droit de le faire chez vous. Par contre, il ne vous est pas permis de confier les travaux à un proche ou de lui demander de vous aider, sous prétexte qu'il a lui-même déjà fait des travaux de plomberie.

Avant de vous lancer tête baissée dans de tels travaux, renseignez-vous auprès de votre municipalité afin de connaître les exigences particulières qui pourraient s'appliquer, notamment en ce qui concerne le réseau d'évacuation des eaux pluviales.

LA DURETÉ DE L'EAU

Comment faire la différence entre une eau
dure et une eau douce ?

Pour les distinguer, nul besoin d'outils sophistiqués : un peu de savon suffit. Est-ce que les détergents employés pour la lessive ainsi que les shampooings moussent abondamment ? Si oui, l'eau du réseau domestique est douce.

La dureté est notamment déterminée par la présence d'ions de calcium et de magnésium dissous dans l'eau. Plus la teneur est élevée, plus l'eau est dure. Cela dit, la dureté de l'eau n'altère en rien sa qualité et on peut la consommer sans craindre d'effets indésirables pour la santé. C'est plutôt sur le plan des installations que tout se joue. Une eau dure, qui est riche en calcaire, favorise l'entartrage des tuyaux, nuit à l'efficacité du chauffe-eau et des systèmes de chauffage à eau chaude, et réduit la durée de vie des gros et des petits électro-ménagers, comme la laveuse, le lave-vaisselle, la machine à café, etc.

Quand on juge que l'eau est trop dure, on a recours à des adoucisseurs. Ces dispositifs de traitement opèrent par échange d'ions. Le calcium et le magné-sium présents dans l'eau sont alors remplacés par du sodium. Cependant, le fait d'adoucir l'eau ne signifie pas pour autant que surviendra la fin des ennuis. Ce traitement n'est pas sans inconvénients. C'est un peu comme donner à l'eau des munitions pour qu'elle passe « à l'attaque ». Car, paradoxalement, l'eau douce (qui est traitée au sel) est aussi plus agressive. Elle entraîne la corrosion des conduites et de leurs soudures, contribuant à l'augmentation des métaux lourds (cuivre, plomb...) présents dans l'eau. La prudence est donc de mise. Entre l'en-tartrage et la corrosion, il faut trouver le juste équilibre en obtenant une eau qui n'est ni trop dure ni trop douce. À cet effet, Santé Canada considère qu'une dureté qui varie entre 80 et 100 mg/L est acceptable.

LES BRUITS DE TUYAUTERIE – COUPS DE BÉLIER

Pourquoi un bruit de cognement se fait-il entendre chaque fois qu'on ferme le robinet ?

Des conduites d'eau bruyantes sont généralement la conséquence d'une mauvaise installation. On pense d'abord au coup de bélier, qu'on reconnaît à son bruit caractéristique semblable à un coup de marteau. Les coups de bélier se produisent entre autres lorsqu'on ferme rapidement un robinet. Le phénomène s'explique par un changement brusque dans la vitesse d'un fluide en mouvement. L'eau qui circule à grande vitesse dans le réseau est freinée d'un coup sec dans sa course par la fermeture de la vanne d'un robinet. Cet arrêt brutal se traduit par une augmentation de la pression au niveau de la vanne suivie d'une onde de choc qui fait écho dans tout le réseau: c'est alors que la tuyauterie se fait entendre.

Les coups de bélier répétitifs peuvent avoir raison de la tuyauterie en entraînant des fuites ou en causant une rupture des conduites. Le danger s'accroît en fonction de l'intensité du choc. Or, la puissance du fameux coup de bélier dépend de la longueur et du diamètre des tuyaux ainsi que de la vitesse à laquelle l'eau y circule. Ainsi, le bruit résonnera plus fort à nos oreilles si l'on est en présence d'un long tuyau dont le diamètre est insuffisant, dans lequel l'eau se déplace plus rapidement et avec une pression plus élevée. Réduire la pression d'eau au point d'entrée de l'eau de la maison permet de pallier ce problème. Dans nos foyers, cette pression est établie par le Code de plomberie du Québec à un peu plus de 70 lb par pouce carré ou PSI. Si, pour une raison ou une autre, la pression exercée par le réseau municipal est supérieure à cette norme, vous devrez installer un réducteur de pression.

Devant l'impossibilité de modifier l'installation et advenant que les solutions se révèlent inefficaces ou insuffisantes, vous devrez protéger le réseau des surpressions accidentelles en y installant un dispositif « antibélier » qui, en quelque sorte, fait office d'amortisseur.

Il ne faut surtout pas confondre le coup de bélier aux bruits associés à la dilatation des tuyaux, qui concernent particulièrement les installations de chauffage. Les causes sont variées et peuvent résulter d'un déséquilibre hydraulique, d'un débit trop élevé ou de la présence d'air dans le système (un problème que l'on résout en effectuant une purge du système). Les sons entendus peuvent également être liés à la fixation des tuyaux, lesquels sont maintenus en place avec des colliers. Si les colliers sont trop serrés, ils empêchent l'expansion des tuyaux. Il suffit parfois de les desserrer un peu pour que le silence revienne. À l'inverse, si les colliers sont trop lâches, les tuyaux risquent de vibrer et d'être bruyants. On intervient donc en solidifiant les attaches.

LE REGARD

Le regard de nettoyage est l'accès permettant l'inspection et l'entretien des tuyaux des réseaux d'évacuation et de ventilation. Le Code (voir la section *plomberie* du Code du bâtiment) exige qu'un tuyau de vidange soit muni d'un regard de nettoyage chaque fois que la tuyauterie emprunte une nouvelle direction qui est supérieure à 90 degrés. Dans une installation domestique, il est possible que les tuyaux de vidange situés sous l'évier de la cuisine ou sous le lavabo de la salle de bains n'en comportent pas. Une telle installation est acceptable si elle est notamment composée d'un siphon démontable, c'est-à-dire de tuyaux coudés et de raccords filetés qu'il suffira de dévisser en cas de problème.

UN DÉBIT D'EAU FAIBLE

Comment expliquer que le débit d'eau des appareils sanitaires n'est pas suffisamment élevé et comment remédier à ce problème ?

Plusieurs raisons peuvent expliquer le faible débit d'eau d'un appareil sanitaire, dont la pression disponible dans le réseau. Une chute de pression découlant d'un changement survenu quelque part dans le réseau d'alimentation peut faire en sorte que l'eau qui s'écoule du robinet ne se présente qu'en un mince filet. Il faut donc remonter jusqu'à la source du problème en procédant à quelques vérifications et en répondant aux questions suivantes.

Quels sont les appareils affectés par la baisse de pression ? Est-ce l'ensemble du réseau domestique qui est touché ou le problème est-il localisé à un endroit précis comme dans la salle de bains ? Est-ce que la pression est moindre sur un seul appareil et semble normale sur les autres sanitaires ? Est-ce que cette baisse affecte aussi l'eau froide ou elle ne concerne que l'eau chaude ? Ces quelques pistes de réflexion, qui nécessitent davantage d'investigation, vous aideront à partir dans la bonne direction.

Si la pression d'eau est basse pour l'ensemble du réseau, le robinet d'arrêt, situé à l'entrée d'eau, n'est peut-être que partiellement ouvert ou il peut être obstrué, ce qui limite la pression de l'eau. Aussi, la demande est peut-être trop forte du côté du réseau municipal, comme ce peut être le cas les jours de canicule. Sinon, cette réduction de pression à l'intérieur du réseau domestique est-elle attribuable à l'utilisation simultanée d'appareils ? Est-ce que quelqu'un peut avoir oublié de fermer le tuyau d'arrosage à l'extérieur ? Notez que, s'il n'y a que l'eau chaude qui est affectée, il y a de fortes chances que le chauffe-eau soit impliqué ; avez-vous pensé à le vérifier ?

Il faut aussi déterminer s'il y a présence d'un bris quelque part. Pour cela, inspectez attentivement les conduites. Pouvez-vous y déceler une fuite, ou l'endroit est bien sec? Les canalisations sont-elles obstruées? S'il n'y a aucune trace d'eau ou d'humidité et qu'un seul appareil est concerné, peut-être faut-il pointer du doigt le mécanisme du robinet et envisager son nettoyage ou son remplacement, surtout s'il s'agit d'un vieux modèle qui a fait son temps.

Enfin, notez que la conception même du réseau domestique influence aussi la pression et, par conséquent, le débit d'eau. Ainsi, une installation qui fait fi du nombre de sanitaires qui y sont raccordés et dont les conduites d'alimentation sont trop hautes, trop longues et d'un diamètre moindre risque de connaître des baisses de pression plus ou moins fréquentes.

LES FUITES

Qu'ont en commun les tuyaux de la laveuse et du lave-vaisselle, le chauffe-eau, le robinet d'entrée d'eau et le robinet extérieur? Ils peuvent tous causer de sérieux dégâts! Un raccord qui cède, un chauffe-eau qui coule ou un robinet qui éclate peut causer une catastrophe... Peu importe l'importance de la fuite, il est crucial d'agir rapidement. Une fuite non décelée finira inévitablement par endommager les finis et les composantes internes d'un mur (le bois, les matériaux isolants, etc.) et augmentera considérablement les coûts de la facture, en plus de vous occasionner bien des maux de tête!

LE SUINTEMENT DES SURFACES

En été, quelle est la meilleure façon de prévenir la condensation qui se forme à la surface du réservoir de la toilette ainsi que sur la tuyauterie d'eau froide ?

Le phénomène de condensation se remarque souvent en été, lors des journées chaudes et humides. S'il touche davantage la tuyauterie d'eau froide qui parcourt le sous-sol et le réservoir de la toilette, c'est parce qu'ils sont refroidis par l'eau fraîche qu'ils contiennent. À leur contact, la vapeur d'eau contenue dans l'air ambiant est refroidie et se condense. L'eau perle, s'égoutte et, si elle s'accumule, peut finir par endommager les finis situés à proximité.

Une façon simple et efficace de régler le problème de suintement des tuyaux est de les isoler. En effet, l'isolation permet de réduire l'écart de température et, conséquemment, la condensation. En ce qui a trait au réservoir de la toilette, opter pour un réservoir isolé réduira la condensation, dans la mesure où le taux d'humidité dans la pièce est contrôlé. Car, à la base, une salle de bains est une pièce humide, ce qui est tout à fait normal : c'est l'endroit où l'on aime s'offrir une bonne douche chaude ou un bon bain, lui aussi bien rempli d'eau chaude. Comme toute cette vapeur d'eau se retrouve dans l'air, il ne faut pas s'étonner de voir de la condensation se former même si le réservoir est isolé.

Or, il faut s'inquiéter de la possibilité de formation de moisissures sur le mur situé à l'arrière de la toilette. Le problème tend à s'accentuer lorsque l'espace entre le mur et la toilette est très étroit, car l'air y circule plus difficilement, ce qui n'aide pas à assécher les surfaces, qui restent mouillées plus longtemps. Comment chasser cette humidité stagnante et favorable au développement de moisissures ? Mécaniquement, au moyen d'un extracteur d'air.

LE GEL DES TUYAUX

Que faut-il faire pour éviter que les tuyaux ne gèlent en hiver lorsqu'on doit s'absenter longtemps (ou qu'une panne électrique s'éternise)?

Les hivers se suivent et ne se ressemblent pas, mais ils demeurent pour la plupart sans pitié pour la tuyauterie domestique. Un tuyau qui gèle n'est pas automatiquement l'assurance d'un dégât, mais compte tenu des risques de fuite qui sont élevés, il vaut mieux prévenir que guérir. Depuis longtemps, on a compris qu'il fallait garder les tuyaux du côté chaud bien à l'abri du gel et les protéger au besoin avec des gaines isolantes prévues à cette fin.

Une installation a beau être au chaud, il convient cependant de prendre les mesures nécessaires avant de partir en vacances ou lors d'une panne d'électricité prolongée. Il serait vraiment dommage qu'une conduite d'eau traversant un espace mal isolé ou non chauffé soit endommagée par un froid glacial qui aurait élu domicile sous nos cieux, tout cela alors que vous vous chauffez la couenne au soleil...

La procédure est simple et bien connue des propriétaires habitués à hiveriser leur chalet: il s'agit de fermer la valve à l'entrée d'eau, puis d'ouvrir les robinets pour vider l'eau des conduites, des toilettes et du réservoir à eau chaude. C'est d'ailleurs exactement ce que l'on fait avec un robinet d'arrosage situé à l'extérieur avant que les températures nocturnes ne descendent sous le point de congélation: on coupe l'eau et on purge. Ces précautions sont essentielles pour éviter le gel, sauf dans le cas d'une construction récente dotée d'un robinet extérieur antigel.

En ce qui concerne les tuyaux de drainage, ils ne contiennent pas d'eau, à l'exception de la garde d'eau des siphons. Pour cette raison, ils sont eux aussi vulnérables au gel, leur faiblesse se situant justement au niveau des coudes. C'est pourquoi il est coutume pour les propriétaires de chalet de remplacer l'eau du siphon par de l'antigel. Ils savent qu'ils s'évitent bien des problèmes à leur retour, le printemps suivant.

À surveiller

Notez qu'il est possible que des tuyaux qui n'auraient jamais été exposés au gel puissent y devenir plus sensibles à la suite de travaux ou du déplacement d'une source de chaleur.

LES PROBLÈMES D'ODEUR – DRAIN

Une odeur désagréable émanant d'un drain et/ou de l'avaloir de sol signifie-t-elle que ce dernier est bouché ?

L'avaloir de sol, communément appelé «drain de plancher», est un dispositif obturateur qui agit comme un siphon en empêchant le passage des gaz, et ce, sans faire entrave à l'écoulement de l'eau. Installé dans le plancher du sous-sol, il doit être muni d'un clapet antiretour, qui protège contre les refoulements d'égouts.

Quand l'avaloir de sol dégage une odeur nauséabonde, c'est tout simplement parce qu'il manque d'eau dans le coude. Dans le langage des plombiers, on dit qu'il y a eu un désamorçage. En d'autres mots, l'eau s'est évaporée avec le temps, ou il y a une fuite, et les gaz émanant du réseau peuvent maintenant envahir votre sous-sol. Un tel dispositif n'est pas obligatoire dans une maison. Dans une résidence, c'est à l'occupant qu'il revient de s'assurer que la garde est maintenue en versant périodiquement de l'eau dans l'avaloir de sol pour éviter qu'il se désamorce.

 Conseil

Un truc utilisé depuis longtemps et qui a fait ses preuves est de verser une quantité à peu près égale d'eau et d'huile minérale dans le drain de plancher. L'huile remontera et formera une couche à la surface, ralentissant ainsi l'évaporation du drain.

LES PROBLÈMES D'ODEUR – ROBINET

L'installation d'un adoucisseur d'eau éliminera-t-elle la mauvaise odeur présente dans l'eau qui s'écoule du robinet?

En milieu rural, il n'est pas rare que l'eau tirée d'un puits artésien (nappe phréatique) dégage une odeur de soufre, donc qu'elle présente une odeur similaire à des œufs pourris. C'est souvent dans ce genre de situation qu'on a recours à un adoucisseur d'eau. Ce dispositif de traitement d'eau permet de réduire la dureté de l'eau, mais ne se révèle d'aucune utilité pour l'élimination des substances chimiques organiques.

Depuis quelques années, on note une hausse importante des ventes de dispositifs de traitement de l'eau potable. Ces dispositifs doivent être certifiés et répondre aux exigences du Code de la construction (Chapitre 3 – *Plomberie*). De même, leur raccordement à une installation domestique doit être réalisé par une personne certifiée.

Un coup d'œil sur le marché actuel nous permet de constater qu'il existe plusieurs types de dispositifs, certains étant installés sur la tuyauterie d'entrée d'eau, d'autres sur les points d'utilisation, comme sous l'évier de la cuisine. Il faut également faire la distinction entre les différents systèmes: filtration, distillation, osmose inversée, ultraviolets, adoucisseurs, etc. Devant la diversité des équipements et la possibilité de les jumeler selon les contaminants présents dans l'eau, il est normal d'avoir de la difficulté à faire un choix éclairé. Pour sélectionner le meilleur dispositif adapté à votre situation, consultez un spécialiste.

LES PROBLÈMES D'ODEUR – LAVE-VAISSELLE

Mon lave-vaisselle sent-il le soufre en raison d'un problème d'évacuation ou s'agit-il d'un problème lié à l'appareil ?

Vous en avez marre d'avoir à retenir votre souffle chaque fois que vous ouvrez la porte de votre lave-vaisselle ? L'appareil peut être encrassé par des résidus de graisse et d'aliments qui s'y sont accumulés avec le temps. Pour régler le problème, procédez à l'entretien du filtre qui récupère les saletés et nettoyez l'appareil régulièrement avec un produit conçu à cet effet. Une recette maison qui a aussi fait ses preuves consiste à remplir le compartiment destiné à accueillir le détergent de vinaigre blanc et de faire fonctionner le lave-vaisselle vide le temps d'un cycle de rinçage.

Vous avez suivi les recommandations du fabricant en ce qui a trait à l'entretien de votre appareil et, malgré tout, une odeur nauséabonde est toujours présente ? Le siphon ou le branchement sont probablement en cause. Le raccordement du tuyau de vidange doit être situé avant le siphon de l'évier. S'il ne l'est pas, cela signifie qu'il n'y a pas de garde d'eau empêchant les odeurs des égouts de remonter dans la cuve du lave-vaisselle. En cas de doute, faites appel à un plombier pour vous aider à analyser la situation.

LE SIPHON

Une odeur d'égouts est présente dans la maison? Il y a de fortes chances que la faute soit attribuable au siphon. Tous les sanitaires en possèdent un, même la toilette. Le siphon correspond à la section coudée d'un tuyau de vidange dont la configuration en U a pour fonction de retenir l'eau. Cette quantité d'eau, présente en permanence, s'appelle la garde d'eau. Son rôle est d'empêcher les gaz et les odeurs en provenance du réseau sanitaire d'envahir la maison. La hauteur minimale de la garde d'eau est de 1 1/2 po.

Tout siphon doit être raccordé à un tuyau de ventilation (individuel ou commun). La ventilation est essentielle, car elle préserve la garde d'eau et protège le siphon contre les différences de pression (pression atmosphérique et pression du réseau d'évacuation). Les siphons à ventilation directe sont à éviter, tout comme le sont les siphons en S. Les premiers parce que le tuyau de ventilation n'est pas suffisamment éloigné de la garde d'eau, et les seconds parce qu'ils dépassent la dénivellation du bras de siphon prescrite par le Code. Le bras de siphon correspond à la section de la tuyauterie comprise entre le haut de la garde d'eau du siphon et sa jonction avec le tuyau d'évacuation.

Une vidange régulière des siphons constitue une mesure préventive pour éviter l'obturation des tuyaux d'évacuation causée par l'accumulation de résidus. Il est aussi conseillé de faire occasionnellement couler de l'eau dans les drains des appareils moins fréquemment utilisés.

LA COULEUR DE L'EAU

Comment expliquer que l'eau qui s'écoule du robinet est rougeâtre ?

Il peut arriver que l'eau soit légèrement trouble et rougeâtre après que les services municipaux ont procédé à l'entretien de leur réseau de distribution d'eau. Par contre, la plupart du temps, c'est le chauffe-eau qui est en cause. Plus précisément, c'est la corrosion dans son réservoir qui donne à l'eau sa couleur rouge orangé. Les chauffe-eau sont pourtant bien protégés contre la corrosion. Leurs parois internes sont vitrifiées et le tuyau plongeur côtoie une longue tige faite de magnésium – l'anode sacrificielle – qui préserve la cuve des effets corrosifs de l'eau. Comment ? Quand deux métaux mis ensemble sont en contact avec l'eau, c'est le plus réactif des deux qui rouille ; dans ce cas-ci, c'est la tige en magnésium qui subit la corrosion (tout en haut de l'échelle galvanique) plutôt que la cuve en acier (plus bas dans l'échelle).

Cela dit, même si les chauffe-eau sont conçus pour résister à la rouille, la protection n'est pas infaillible. Les facteurs en cause sont nombreux, à commencer par l'eau elle-même. Si elle est trop douce, elle sera par conséquent plus corrosive, ce qui aura pour effet d'accélérer l'usure. Sinon, un chauffe-eau dont l'entretien est déficient ou qui commence à se faire vieux, la durée de vie de l'appareil variant entre 12 et 15 ans, peut expliquer le phénomène. Si l'installation du vôtre remonte à plus d'une dizaine d'années, il est peut-être temps de le remplacer.

L'ACIER GALVANISÉ

Ma compagnie d'assurances peut-elle m'obliger à remplacer la tuyauterie en acier galvanisé, même si celle-ci est encore en bon état ?

Les compagnies d'assurances ont le droit d'exiger le remplacement d'un vieux réseau en acier galvanisé en raison des risques qui y sont associés. L'acier galvanisé a été utilisé dans la construction de la tuyauterie des réseaux d'évacuation et de ventilation jusque dans les années 50. Or, avec une durée de vie évaluée entre 40 et 50 ans, on comprend que le matériau a atteint la fin de sa durée de vie utile et que son retrait (à défaut d'une retraite !) devrait être envisagé.

Malheureusement, l'acier se corrode. La rouille s'attaque d'abord à la paroi intérieure du tuyau, qu'elle fragilise avec le temps. De même, le dépôt qui s'y forme nuit au bon écoulement de l'eau et en réduit le débit. Bref, une combinaison qui n'augure rien de bon. Le risque de fuite est accru, mais, pire encore, la rupture soudaine d'un tuyau l'est aussi. Imaginez alors l'inondation...

Personne ne souhaite avoir à composer avec un dégât d'eau, et c'est la raison pour laquelle le remplacement de l'installation est recommandé. Si vous venez d'acheter une vieille maison dont le réseau d'évacuation est en acier galvanisé, un constat devrait avoir été rédigé à cet effet dans le rapport que vous a remis votre inspecteur en bâtiment.

Enfin, si les tuyaux ont l'air d'être en bon état, peut-être serez-vous tenté d'attendre encore quelques années avant de confier le travail à un entrepreneur en plomberie. Gardez cependant en tête que la rouille s'installe d'abord à l'intérieur des tuyaux, là où elle est moins visible, ce qui est néanmoins dommageable.

Quelle est la durée de vie de la tuyauterie en cuivre et quels sont les signes qu'elle doit être changée ?

Apprécié pour sa solidité, sa durabilité et sa conductivité électrique et thermique, le cuivre employé dans la confection des conduites d'alimentation est un matériau qui a fait ses preuves. On l'utilise dans la conception des réseaux sanitaires domestiques depuis plus de 80 ans. Contrairement à l'acier, le cuivre ne réagit pas avec l'eau, mais plutôt avec l'oxygène de l'air. Cette réaction, qu'on appelle oxydation, se fait lentement.

Sur de vieilles installations, la tuyauterie en cuivre arbore une couleur brun-noir qui en trahit l'âge et qui n'a surtout rien à voir avec la couleur rouge orangé du matériau neuf. Une patine verdâtre – le vert-de-gris – s'observe plus particulièrement à proximité des raccords soudés. S'il y en a davantage à cet endroit, c'est parce que la pâte à souder (aussi appelée flux ou décapant) utilisée pour le brasage n'a pas été essuyée une fois l'opération terminée. L'apparition de vert-de-gris, vous vous en doutez, ne signifie pas pour autant que les tuyaux sont finis. Des conduites en cuivre peuvent facilement durer 60 ans, voire plus, sans présenter de problèmes. Malgré toutes ces qualités ayant trait à la durabilité, certaines installations peuvent connaître des ratés plus vite qu'elles ne le devraient. Une eau trop douce ou dont le pH est trop élevé, par exemple, favorisera la corrosion. Il peut aussi être bon de jeter un œil aux points de fixation afin de s'assurer que les attaches qui retiennent les tuyaux sont bien en cuivre ou en plastique. Tout autre métal qui est en contact direct avec le cuivre entraînera une réaction galvanique, c'est-à-dire qu'il causera l'accélération de la rouille du métal. Quoi qu'il en soit, des conduites en cuivre âgées dont l'installation remonte à plus d'une cinquantaine d'années devraient faire l'objet d'une inspection régulière.

LES BRUITS DE PLOMBERIE

Pourquoi entendons-nous des «glouglous» dans le réseau de plomberie?

Les eaux usées sont acheminées jusqu'au réseau d'égouts par le biais de tuyaux de vidange et d'évacuation. L'écoulement de l'eau se faisant par gravité, ces tuyaux doivent être légèrement inclinés. Pour un tuyau présentant un diamètre de 3 po ou moins, on recommande une inclinaison de 1: 50, soit à peu près l'équivalent de 1 po à tous les 4 pi.

Si un tuyau est pratiquement à l'horizontale, en raison d'un affaissement ou parce qu'il a mal été fixé, l'évacuation des eaux usées se fera avec plus de difficulté et des dépôts graisseux auront tendance à s'accumuler dans sa cavité, jusqu'à obstruer partiellement le tuyau. De là les «glouglous»... La solution consiste à corriger les pentes et à s'assurer que rien ne fait obstacle au passage de l'eau.

Le réseau de ventilation, lui aussi formé de tuyaux et de raccords, joue aussi un rôle dans l'évacuation des eaux usées. Il permet de relier le réseau d'évacuation à l'air extérieur. Cette prise d'air se fait le plus souvent sur le toit. Le tuyau qui y débouche s'appelle un évent. Son emplacement (sa proximité avec les fenêtres ou les autres ouvertures), son diamètre et sa hauteur sont prescrits par des normes. À quoi sert-il? À assurer la circulation de l'air dans le réseau d'évacuation et à protéger la garde d'eau des siphons. Si le réseau d'évacuation est mal ventilé parce que l'installation est inadéquate et que les longueurs développées ne sont pas respectées, le drainage de l'eau ne sera pas optimisé et la plomberie fera entendre son «glouglou» caractéristique. Dans un tel cas, faites appel à un maître plombier.

LE RÉSERVOIR D'EAU CHAUDE

Devrait-on envisager le remplacement d'un chauffe-eau pour un modèle plus gros si l'eau chaude vient à manquer trop souvent ?

Les besoins quotidiens en eau chaude varient d'un ménage à l'autre. Ils dépendent entre autres du nombre d'occupants et de leurs activités. Profitez-vous régulièrement des bienfaits d'un bon bain chaud? Vos ados s'éternisent-ils sous la douche? À quelle fréquence lavez-vous votre lessive à l'eau chaude? Ce sont là quelques questions auxquelles vous devrez répondre avant de penser à changer la capacité du chauffe-eau. Car en changeant certaines habitudes, la maisonnée pourrait profiter de l'eau chaude en quantité suffisante sans devoir changer l'installation existante.

Évidemment, si vous venez de terminer l'aménagement d'une nouvelle salle de bains au sous-sol, si la maison normalement occupée par un couple et leurs deux enfants est toujours «pleine de monde» ou que des invités y sont hébergés pour un temps indéterminé, il ne faut pas s'étonner que le chauffe-eau ne suffise plus à la demande.

Les chauffe-eau, qu'ils soient alimentés au gaz, au propane ou à l'électricité, sont offerts en différents formats, les plus courants étant les modèles de 40 et de 60 gallons. Si vous avez déjà un réservoir de 60 gallons, voire de 80 gallons, et que l'eau chaude n'est pas toujours au rendez-vous, vérifiez si l'un des éléments chauffants est défectueux. Dans un tel cas, retenez les services d'un maître électricien pour effectuer son remplacement. L'accumulation de dépôts peut aussi nuire aux performances de l'appareil. Faites-en la vidange afin de vérifier son état.

 Conseil

En installant la base du chauffe-eau sur un plateau circulaire conçu à cet effet, vous pourrez prévenir bien des dommages en cas de fuites, surtout si le plancher sur lequel il repose est fini.

► Composantes d'un chauffe-eau

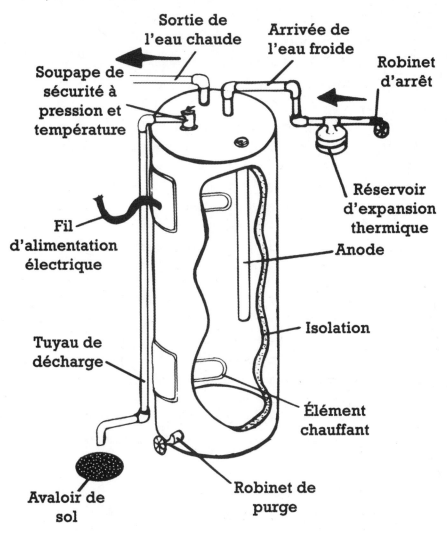

Sortie de l'eau chaude

Arrivée de l'eau froide

Robinet d'arrêt

Soupape de sécurité à pression et température

Fil d'alimentation électrique

Réservoir d'expansion thermique

Anode

Isolation

Tuyau de décharge

Élément chauffant

Avaloir de sol

Robinet de purge

Conseil

Quand l'eau chaude ne vient tout simplement pas, on peut soupçonner une défaillance du chauffe-eau. Mais quand l'eau chaude finit par venir et qu'elle est beaucoup plus brûlante qu'elle ne le devrait, on peut supposer que le thermostat est défectueux et qu'il occasionne la surchauffe de l'eau en n'indiquant pas la bonne température à l'élément. On doit donc le remplacer.

LE REFOULEMENT

Un refoulement d'égouts malgré la présence d'un clapet antiretour est-il imputable au réseau municipal ?

Un clapet antiretour est un dispositif d'obturation empêchant les eaux usées présentes dans l'égout d'être refoulées à l'intérieur d'un bâtiment lors d'un épisode de pluie torrentielle, qui a pour effet de surcharger le réseau public. Comme tous les appareils sanitaires d'une salle de bains aménagée au sous-sol d'une maison présentent un risque de refoulement, ils doivent pouvoir compter sur un clapet antiretour. Celui-ci peut être installé sur le tuyau de vidange de chaque appareil (on parle alors de protection individuelle) ou sur le branchement d'évacuation commun à plusieurs sanitaires.

Outre le clapet à insertion spécialement conçu pour l'avaloir de sol, on distingue deux types de clapet antiretour. Le premier, dit « normalement fermé », comporte une porte (le clapet) fixée sur sa partie supérieure qui se soulève lors du passage des eaux usées en provenance des sanitaires et qui demeure en position fermée advenant un refoulement. Le second clapet, de type « normalement ouvert », demeure en position ouverte tant et aussi longtemps qu'il n'y a pas de refoulement. L'installation de l'un ou de l'autre est spécifiée dans le Code du bâtiment et dépend de l'emplacement ainsi que du nombre de logements desservis.

Plusieurs municipalités obligent maintenant les propriétaires à installer un clapet antiretour et à en assurer l'entretien. Celles qui le font se dégagent de leurs responsabilités quant aux dommages matériels causés à « un immeuble et à son contenu », tel que le stipule l'article 21 de la Loi sur les compétences municipales adoptée en janvier 2006.

Que se passe-t-il alors quand survient un dégât (refoulement!), que le proprié-taire s'est conformé au règlement et qu'un clapet antiretour est bel et bien en place? Généralement, il faudra hélas! faire la preuve de sa présence et de son état fonctionnel auprès de votre compagnie d'assurance et/ou de la municipalité.

Enfin, parce qu'une dysfonction est toujours possible et qu'il vaut mieux préve-nir que guérir, on recommande de vérifier annuellement le bon fonctionnement d'un clapet antiretour. Est-il encore étanche? Y a-t-il de la corrosion? Un dépôt sédimentaire s'est-il formé? Ce dernier peut-il empêcher la fermeture hermé-tique du clapet? Ce sont là quelques vérifications qui pourraient vous épargner bien des ennuis.

LE BRISE-VIDE

Le brise-vide est un dispositif « antisiphonnage » qu'on installe notamment sur un robinet extérieur et qui protège le réseau domestique d'eau potable contre les risques de contamination, qui sont plutôt rares mais possibles dans certaines situations. Prenons l'exemple d'une piscine dans laquelle traîne un tuyau d'arrosage raccordé à un robinet extérieur (on parle alors de raccordement croisé). En présence d'une baisse atmosphérique (lors du drainage du réseau municipal) ou d'une interruption de l'alimentation dans le réseau d'eau potable (bris de conduite), les eaux usées peuvent refouler dans le tuyau jusqu'à l'eau potable, par siphonnage, et contaminer celle-ci.

LA FOSSE SEPTIQUE

Vous êtes-vous déjà demandé où allait l'eau utilisée pendant une douche ou celle évacuée par la chasse d'eau d'une toilette ? C'est une question que l'on se pose rarement, assumant que ces eaux usées vont rejoindre le réseau d'égout municipal, ce qui est effectivement le cas dans les agglomérations urbaines. La situation est toutefois différente en ce qui concerne les habitations construites loin des services municipaux, que ce soit pour la distribution de l'eau potable ou pour l'évacuation des eaux usées. En l'absence d'un réseau public, on a recours à des puits (collectifs ou privés) pour l'approvisionnement en eau potable et à des installations septiques pour l'évacuation des eaux usées. Une installation septique reçoit et traite les eaux usées d'une maison non desservie par un réseau municipal. Elle comprend une fosse septique et un champ d'épuration. La fosse septique est un réservoir étanche composé de différents matériaux (béton, polyéthylène, fibre de verre, etc.), et sa taille est déterminée par le nombre de pièces que compte la maison ainsi que par le volume d'eau utilisé par ses occupants.

Les modèles de fosse plus récents comportent deux compartiments. Lorsqu'elles sont acheminées jusqu'à la fosse, les eaux usées sont ralenties à l'entrée du réservoir. Il y a alors une séparation des matières solides et des matières liquides. Les plus lourdes tombent au fond, où elles forment un dépôt qu'on appelle boue; les plus légères (les huiles et les graisses) se retrouvent quant à elles en surface. La couche qu'elles forment s'appelle l'écume. Entre l'entrée et la sortie de la fosse survient la décomposition des matières. Les eaux usées, qui sont partiellement traitées, sont ensuite dirigées vers le champ d'épuration. Un champ d'épuration agit comme un filtre: il est constitué de drains perforés, de tranchées de gravier et d'une couche de sol d'une épaisseur déterminée et d'une certaine perméabilité. En résumé, les eaux usées s'infiltrent dans le sol où elles sont «prises en charge» par les microorganismes présents dans l'environnement avant de rejoindre les eaux souterraines.

Une installation septique a une durée de vie qui varie entre 15 et 20 ans, et elle doit faire l'objet d'une vidange tous les trois à cinq ans. À proximité d'un lac ou d'une rivière, la réglementation peut exiger qu'un nettoyage soit effectué tous les deux ans. Chose certaine: une vidange s'impose lorsque le tiers de la fosse est rempli de boues, et le travail doit être confié à une entreprise spécialisée.

► Fosse septique et champ d'épuration

**Fosse
septique**

**Champ
d'épuration**

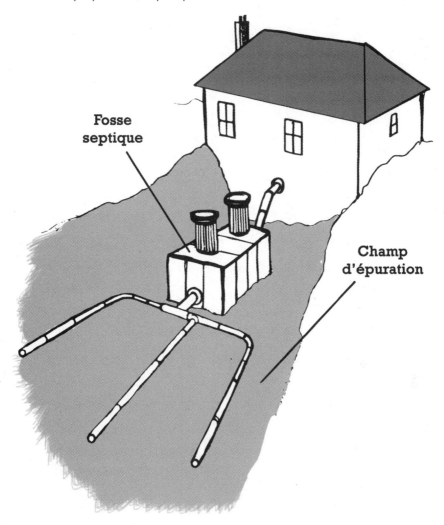

7

ÉLECTRICITÉ

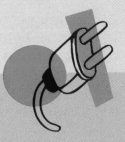

QUELQUES NOTIONS D'ÉLECTRICITÉ

Les unités de mesure

Parce qu'on ne voit pas l'électricité, on renvoie souvent à l'image de l'eau qui s'écoule dans un tuyau pour expliquer son fonctionnement, l'eau étant l'électricité, le tuyau étant le fil conducteur.

- Le **volt** désigne la tension, soit la différence de potentiel entre deux points. En image, cela correspond à la pression de l'eau dans un tuyau.
- L'**ampère** est l'unité mesurant l'intensité du courant. Il s'agit du déplacement de l'électricité dans un conducteur. On le compare au débit d'eau.
- La **résistance** est le rapport entre la tension et l'intensité du courant. Elle se mesure en ohms. Plus il y a de résistance, moins le courant passe. Sans résistance, l'électricité circule librement.
- Le **watt** exprime la puissance ou encore la quantité d'énergie développée.

Les termes couramment utilisés dans le domaine électrique.

- Un **court-circuit** se produit lorsque le courant dispose d'un chemin vers le sol sans grande résistance. (Le courant électrique cherche toujours à retourner vers la terre... Il ne va pas se «frayer» un chemin, il va directement emprunter le chemin le plus facile pour aller dans le sol. S'il doit passer par le corps humain, ce sera ça, son chemin...)
- La différence entre une **surcharge** et un court-circuit est subtile. Les deux correspondent à une surintensité de courant, la première étant brève, mais de forte valeur, et la deuxième étant de moindre valeur, mais de plus longue durée.
- L'intensité du courant, aussi appelée dans le jargon **ampérage**, qu'un fil peut transporter sans s'échauffer de manière considérable est proportionnelle à son diamètre. Plus le fil est gros, plus le courant qu'il peut transporter est important.

Électrisé, électrocuté... nuance!

Il est bon de savoir différencier l'électrisation de l'électrocution. Toutes deux sont des accidents électriques, mais leurs conséquences ne sont pas les mêmes pour la victime. Alors que la première n'est pas mortelle, la seconde est fatale. Il est donc plus approprié de dire «j'ai été électrisé», puisqu'à la suite d'une électrocution, la victime ne peut normalement plus témoigner de son expérience...

Quelle est la différence entre un maître électricien et un électricien tout court?

Le maître électricien est un entrepreneur qui procède à toute la planification et à l'installation du système électrique, incluant l'installation de nouvelles prises de courant. C'est aussi lui que vous appelez en cas de défaillances de votre système électrique. L'électricien travaille souvent pour un maître électricien.

LE PANNEAU DE DISTRIBUTION

Les panneaux à fusibles doivent-ils être remplacés par des panneaux à disjoncteurs, ou ils sont sécuritaires ?

A priori, oui, les panneaux à fusibles sont sécuritaires. Cependant, contrairement aux panneaux à disjoncteurs, ils sont plus sujets à être mal utilisés par le propriétaire-occupant. Le fusible et le disjoncteur jouent le même rôle de protection, soit d'éviter les surtensions (surcharges et courts-circuits). Lorsqu'il y a un excès de courant dans un circuit électrique, ils coupent l'électricité. Avant de rétablir le courant, il importe de trouver pourquoi il y a eu une interruption. La plupart du temps, il s'agit d'un circuit trop sollicité. Plusieurs appareils fonctionnant simultanément sont branchés sur le même circuit et il suffit d'en débrancher quelques-uns pour régler le problème.

Le disjoncteur, qui est en fait un interrupteur, peut simplement être réarmé (remis en fonction). C'est là son grand avantage, en plus du fait qu'il est déjà configuré avec un câblage de calibre approprié, qu'il ne comporte pas d'élément renouvelable et qu'il aura sans aucun doute été installé par un maître-électricien compétent. Le fusible, quant à lui, est interchangeable. La différence s'explique lorsqu'il y a surchauffe : le fusible fond et interrompt le courant. Il faut alors le remplacer et c'est là la véritable problématique. Pourquoi ? Parce qu'on peut très bien remplacer un fusible défectueux de 15 ampères par un autre, en tout point semblable, mais comprenant 25 ampères. On le fait machinalement parce que c'est ce qu'on a sous la main et que ça va faire l'affaire « en attendant ». Mais si le circuit n'était pas en mesure de répondre à la demande, il ne le sera pas davantage en y installant un fusible de calibre supérieur. Ce faisant, on n'ajoute pas de la puissance, on lui retire plutôt de la protection. Et le risque, outre la possibilité d'endommager les appareils branchés sur le circuit fautif, est de se retrouver avec un fusible qui mettra plus de temps à griller et des fils qui chaufferont davantage dans les murs, occasionnant tout le danger que cela suppose.

Pire encore, on a déjà vu des propriétaires pris de court utiliser des pièces de monnaie de 1 cent ou insérer du papier d'aluminium à l'emplacement du fusible désuet. Ne pas respecter le calibre des fusibles et se servir de pièces de rechange inappropriées, c'est littéralement jouer avec le feu! Ce n'est donc pas le panneau à fusibles comme tel qui n'est pas sécuritaire, mais l'usage inapproprié qu'on en fait qui pose problème.

Enfin, si le fusible fond ou que le disjoncteur se déclenche à nouveau immédiatement après sa remise en fonction, c'est que la défectuosité n'a pas été réglée et qu'il y a probablement un court-circuit quelque part. Faites vérifier votre installation par un maître électricien. Puisque la grande majorité des panneaux à fusibles ont été installés avant 1965, votre assureur peut exiger une inspection pour certifier qu'il est conforme. S'il ne présente pas d'anomalies et que vous en faites «bon usage», votre compagnie d'assurance ne peut vous obliger à le remplacer.

LE PANNEAU DE DISTRIBUTION – VIEILLE MAISON

Doit-on remplacer l'entrée électrique de 60 ampères dont est dotée la vieille maison dont nous venons de faire l'acquisition ?

On voit encore aujourd'hui des maisons construites avant les années 50 qui sont uniquement alimentées d'un panneau de 60 ampères. Ce sont pour la plupart des petites habitations qui sont chauffées avec une chaudière au mazout ou au gaz naturel, et non pas à l'électricité. Elles ne sont pas climatisées durant l'été et il y a de fortes chances que la cuisinière, un appareil qui exige une grande puissance, fonctionne elle aussi au gaz. Dans un tel cas, une entrée de 60 ampères suffit souvent à répondre à la demande, la sécheuse étant à peu près le seul appareil domestique à «tirer du jus».

Il est toutefois évident que les besoins en électricité d'un ménage ne sont pas les mêmes qu'il y a 70 ans. De nos jours, les nouvelles constructions sont pour la plupart dotées d'une entrée électrique de 200 ampères, voire 400 pour les grosses maisons «toutes équipées» avec système à air pulsé, thermopompe, spa et autres appareils électriques énergivores. Le problème lié à une entrée électrique de 60 ampères concerne la surutilisation des circuits et le risque de surchauffe. On considère que 60 ampères ne suffisent plus à la demande. Sachant que la maison date d'une certaine époque, et en tenant compte de vos besoins actuels et futurs, il est possible que votre compagnie d'assurance vous demande de remplacer l'installation existante par un panneau de distribution de 100 ampères avant de vous assurer, car c'est la norme minimale de nos jours. Voilà probablement une sage décision.

LE BOÎTIER

Dois-je faire remplacer le coffret de branchement si je remarque des traces de rouille à l'intérieur du boîtier métallique?

Le remplacement du coffret de branchement par une nouvelle installation avec disjoncteurs est de toute évidence une bonne idée s'il est question ici d'un vieux modèle à fusibles. Ce n'est toutefois pas parce qu'il y a quelques traces de rouille qu'un boîtier doit automatiquement être remplacé. Lorsque la rouille fait son apparition, il faut y voir un indice que les diverses composantes situées à l'intérieur du panneau peuvent avoir vieilli prématurément. À supposer qu'il s'agisse d'un panneau à disjoncteurs non hermétique qui compte plusieurs années de service, on opte pour son remplacement.

Bien qu'une entrée électrique puisse être assez récente, il est possible que le boîtier, dans les deux, trois ou quatre années qui ont suivi sa mise en service, ait été affecté par un dégât d'eau ou qu'il ait souffert d'une humidité excessive et que de la condensation se soit formée à l'intérieur. Est-ce seulement le boîtier qui est rouillé ou si les contacts électriques, les bornes et les barres omnibus (*busbar*) sont eux aussi touchés? Cette vérification doit être confiée à un maître électricien. C'est à lui qu'il revient de juger du bon ou du mauvais état de l'installation et d'effectuer les correctifs, si nécessaire.

UN VIEUX CÂBLAGE

Dois-je m'inquiéter de la présence de vieux câblages électriques si ma maison a été construite dans les années 50 ?

Dans plusieurs vieilles maisons, le câblage installé avant les années 50 ne comporte pas de mise à la terre, ce qui présente un risque pour la sécurité des occupants. Les prises de courant à deux fentes qu'on y trouve habituellement permettent de soulever un doute quant à la présence de la mise à la terre. Ces prises ne sont tout simplement pas conçues pour recevoir les appareils dotés d'un cordon d'alimentation avec fiche à trois broches. Or, lorsqu'il manque «un trou» à la prise, l'occupant est souvent tenté de couper la troisième broche, soit celle de la mise à la terre. C'est une erreur, car, ce faisant, il s'expose aux dangers liés à l'électricité, pouvant aller du choc plus ou moins grave à l'électrocution.

Les câbles modernes comportent un fil de cuivre nu pour la mise à la terre et la gaine isolante est composée de vinyle (entre les années 30 et le milieu des années 60, elle était en caoutchouc). Il est impossible de juger de l'état du câblage situé à l'intérieur des murs, à moins de les ouvrir. Quand l'installation date d'une autre époque, que sa gaine est usée ou qu'elle est endommagée, le courant cherche à fuir. Si aucune inspection du système n'a été faite depuis longtemps, faites appel à un électricien pour vous aider à analyser la situation.

LE CÂBLAGE EN ALUMINIUM

Ma compagnie d'assurance exige que nous fassions vérifier l'installation électrique de notre maison, qui est câblée avec des fils d'aluminium. Peut-elle m'obliger à faire installer des câblages électriques en cuivre?

Un premier facteur à considérer est l'âge de la résidence. S'agit-il d'un bâtiment récent ou d'une construction plus âgée? Car la problématique concerne le câblage en aluminium installé entre la fin des années 60 et le milieu des années 70. Bon conducteur, l'aluminium était le favori de l'époque, notamment parce qu'il était moins cher que le cuivre (une hausse inhabituelle de la demande pendant la guerre du Vietnam ayant fait grimper son prix). Cela faisait de l'aluminium un choix économique viable pour la confection du câblage résidentiel, ce qui est encore vrai aujourd'hui.

Or, les premières installations ont connu toutes sortes d'incidents, dont des incendies. Si bien que le matériau a vite perdu de son lustre, jusqu'à pratiquement disparaître du paysage.

On a donc réglementé les méthodes d'installation, la compatibilité des raccords et des borniers ainsi que les types d'alliage d'aluminium pouvant être utilisés dans la confection des câbles. La psychose ayant cependant pris trop d'ampleur, le cuivre a repris la première place sur le marché. On n'a plus entendu parler de l'aluminium jusqu'à son retour, au début des années 2000. Les fabricants se sont penchés sur les problèmes et ont développé de nouveaux alliages. Les câblages d'aujourd'hui sont donc des produits revus et corrigés. Soulignons que, contrairement à la croyance populaire, l'aluminium n'a jamais été interdit par le Code de la construction.

En effet, le câblage en aluminium, lorsqu'il est installé selon les règles de l'art par un maître-électricien, ne présente pas de danger. Cependant, en raison de ses qualités intrinsèques, l'aluminium vieillit moins bien que le cuivre et «s'use» plus rapidement. Sa principale faiblesse est qu'il s'oxyde facilement. Or, la couche d'oxyde qui se forme sur sa surface est résistive (elle crée une résistance) et nuit à la conductivité de l'aluminium, qui aura alors tendance à chauffer. Et s'il y a réchauffement, il y a davantage d'oxydation, plus de résistance, plus de chauffes et ainsi de suite. Le cycle est exponentiel; le risque, lui, s'accroît avec l'âge du câblage. Pour cette raison, on recommande généralement qu'une vérification en bonne et due forme soit effectuée environ tous les cinq ans. Ainsi, selon l'année de la construction de la maison, il est possible que votre assureur exige qu'une inspection de l'installation soit effectuée par un professionnel qualifié (un maître électricien!) qui vous remettra un certificat de conformité.

LA SURCHAUFFE DES FILS ET DES PRISES

Doit-on faire remplacer un fil électrique dont la gaine a été endommagée (noircie ou fondue) par une surchauffe ? Et qu'en est-il d'une prise électrique qui chauffe ?

Il est possible qu'un fil présente des traces noirâtres simplement parce qu'il a frotté sur un autre vieux câble dont la gaine est composée de papier goudronné. S'il s'agit d'une trace de goudron, il n'y a pas lieu de s'inquiéter. Dans le cas d'un fil noirci ou qui a fondu à la suite d'une surchauffe, la situation est différente. À force de le manipuler (de le plier, de le déplier ou de le tordre), un fil peut se fissurer. Ce sectionnement partiel devient alors un point d'échauffement local. Lorsqu'un fil chauffe, sa gaine perd de l'élasticité, donc devient plus rigide et plus cassante. Sans sa gaine, qui est une protection, le fil n'est plus bon. Il faut alors le faire remplacer.

Il y a plusieurs raisons pour lesquelles une prise de courant surchauffe. Il peut s'agir d'une multiprise branchée en permanence qui crée une surcharge, d'un mauvais contact, d'une jonction mal exécutée, de vis lâches... Le problème peut aussi être localisé au niveau des bornes (vis) entre le réceptacle et le câblage permanent, ou encore des contacts (fentes) qui reçoivent la fiche de l'appareil qu'on y branche. Quel que soit le problème, quand ça chauffe (le danger étant qu'un incendie se déclare), il faut faire appel à un maître électricien sans tarder.

LA PRISE À DDFT

C'est connu, l'eau et l'électricité ne font pas bon ménage. C'est pourquoi on utilise des prises munies d'un dispositif de détection à disjoncteur différentiel de fuite à la terre communément appelées DDFT à proximité de la douche, d'un lavabo de salle de bains, au-dessus du comptoir près de l'évier de cuisine de même qu'à l'extérieur. Le DDFT s'assure que le courant sortant du «*hot*» (fil sous tension) revient par le fil neutre ; s'il détecte une différence de quelques milliampères entre les deux, il coupe l'alimentation.

Le DDFT protège une prise contre les fuites de courant. En coupant automatiquement le courant lorsqu'une fuite est détectée, il protège l'individu contre les décharges électriques susceptibles de se produire dans les pièces humides ou en présence de surfaces mouillées. Il n'offre cependant aucune protection contre les surcharges ou les courts-circuits, et il faut confier son installation à un maître électricien.

LA PRISE À DISJONCTEUR DIFFÉRENTIEL

L'installation de prises DDFT (disjoncteur différentiel de fuite à la terre) dans la cuisine et la salle de bains est-elle obligatoire?

Un premier règlement adopté dans les années 80 obligeait l'installation de prises protégées dans la salle de bains des nouvelles constructions. Pour les cuisines, la nouvelle réglementation est arrivée plus tard, soit en 2007. Cette règle stipule qu'à l'intérieur d'un rayon de 1,5 mètre d'un évier, d'un lavabo ou d'une cabine de douche, si on installe une prise, elle doit être avec disjoncteur différentiel (DDFT). Cette obligation s'applique encore une fois aux nouvelles constructions. Si le propriétaire d'une maison construite antérieurement à ces dates n'envisage pas, à court ou à moyen terme, de remettre la cuisine ou la salle de bains au goût du jour, il n'a pas à s'y conformer. Par contre, s'il planifie réaménager l'une ou l'autre de ces pièces, il devra confier le soin de refaire l'électricité selon les normes en vigueur à un maître électricien.

Il n'est pas obligatoire non plus d'opter pour une prise DDFT si l'on souhaite remplacer une composante usée par des années d'utilisation, dans la mesure où on ne touche pas au câblage électrique. On pense ici à une prise de courant sollicitée quotidiennement pendant 15 ou 20 ans, et dont les contacts se sont relâchés. Une telle prise peut donc être remplacée par un modèle équivalent.

 Conseil

Les prises à disjoncteur différentiel sont munies d'un bouton «test», qui déclenche le disjoncteur, et d'un bouton «reset», qui le réarme. Comme il s'agit d'une protection, vérifiez périodiquement qu'ils fonctionnent.

LA MISE À LA TERRE

Prenons l'exemple d'un réfrigérateur branché dans une prise qui n'est pas munie d'une mise à la terre. Il prend de l'âge, son moteur fonctionne moins bien et, avec le temps, un fil se décolle et entre en contact avec le châssis métallique de l'appareil. Le châssis est alors accidentellement mis sous tension et, à cet instant, il présente un danger pour la prochaine personne qui posera la main sur la poignée. L'électricité cherchant toujours le chemin qui lui offre le moins de résistance, et parce que le corps humain est constitué de 60 à 70 % d'eau, cela fait de lui un bon conducteur. Cette personne sera donc immédiatement traversée par un courant électrique.

La mise à la terre est en quelque sorte une voie de retour facile, soit celle qui offre le moins de résistance au passage de l'électricité. Lorsque, pour une raison ou une autre, il y a une défectuosité de l'appareil, le courant est alors dévié vers la mise à la terre. Il se crée alors un court-circuit qui déclenche le disjoncteur. La personne est ainsi préservée d'une électrocution ou d'une électrisation. Il n'est toutefois pas impossible qu'elle reçoive une décharge électrique, mais celle-ci sera moindre et sans gravité. Il va sans dire que la mise à la terre protège les appareils et les occupants d'une résidence contre les décharges électriques causées par des appareils vieillissants ou défectueux.

Précisons que l'installation électrique d'une maison est la plupart du temps mise à la terre à l'entrée d'eau, sur la conduite en cuivre, avant la valve d'arrêt. S'il n'y a pas d'amenée d'eau métallique, elle se fait alors par le biais de tiges enfoncées dans le sol ou au moyen de plaques métalliques préalablement enfouies dans le béton des semelles de la fondation.

▶ La mise à la terre

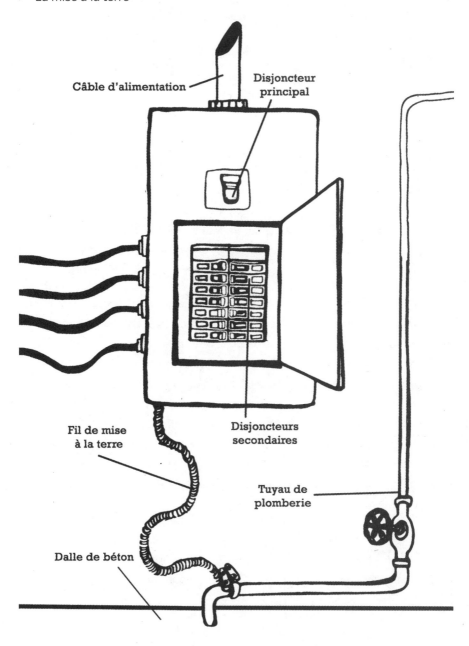

Câble d'alimentation

Disjoncteur
principal

Fil de mise
à la terre

Disjoncteurs
secondaires

Tuyau de
plomberie

Dalle de béton

LA PRISE À POLARITÉ INVERSÉE

Est-ce qu'une prise électrique dont la polarité est inversée peut présenter un problème ?

Une polarité inversée compromet la sécurité des utilisateurs et celle des appareils – système audio-vidéo, ordinateur, électroménagers, etc. – qui sont branchés «en permanence» dans une prise de courant dont les fils sont inversés. Un branchement continu et une inversion de courant représentent un danger potentiel, car cette mauvaise combinaison peut, à la longue, endommager les appareils en compromettant notamment leur mise à la terre. Advenant une défectuosité, la carcasse et les composantes métalliques de l'appareil seraient mises sous tension, avec tous les risques que cette situation comporte.

Que sa polarité soit inversée ou non, une prise de courant fonctionnera quand même et ne semblera pas différente des autres. Alors, comment savoir si les contacts sont fautifs ? Il faut tester la prise. Pour cela, on utilise un vérificateur de prise enfichable. Ce petit outil, qui est simple et fort pratique, est offert à prix abordable dans la plupart des quincailleries. Il est doté de voyants lumineux qui indiquent l'état du circuit ainsi que les erreurs de câblage comme l'inversion des fils ou l'absence de mise à la terre. En se référant aux combinaisons de voyants indiqués sur le boîtier, il est possible de faire une vérification fiable. Notez enfin que c'est toujours le maître électricien qui est autorisé à apporter les correctifs, et ce, même si la tâche semble à la portée du bricoleur.

 Conseil

Lorsque la polarité est inversée dans un luminaire, il devient alors possible de s'électriser en touchant la douille d'une ampoule lorsqu'on la remplace.

L'INTENSITÉ LUMINEUSE

Pourquoi, chaque fois que l'on utilise le grille-pain, remarque-t-on l'intensité de la lumière diminuer ?

On rencontre souvent une diminution de l'intensité lumineuse lors de la mise en fonction de petits appareils électroménagers comme un grille-pain ou un micro-onde. On remarque alors une légère baisse de l'éclairage ambiant, puis il revient « à la normale ».

Certaines pertes d'intensité perdurent dès qu'un appareil est branché et alimenté. La lumière baisse dans la pièce, mais son intensité originale ne revient pas.

Ces problèmes n'ont donc pas la même source.

Il ne s'agit pas automatiquement d'un danger immédiat, mais il y a fort à parier qu'il y a un mauvais contact quelque part dans l'installation électrique. Pour vous en assurer, faites appel à un maître électricien : il détient l'expertise pour résoudre ce genre de problèmes.

LE DÉCLENCHEMENT DES DISJONCTEURS

Dois-je faire remplacer tous les circuits lorsque le fonctionnement simultané de plusieurs appareils dans une même pièce cause le déclenchement des disjoncteurs ?

Vous mettez le micro-onde en marche, oubliant que le grille-pain est déjà en fonction. Et, comme toutes les autres fois où vous l'avez fait (en vous disant que vous ne vous feriez plus prendre!), le disjoncteur se déclenche. Verdict facile : il s'agit d'un circuit trop sollicité. Il faut dire que les micro-ondes sont des appareils d'une grande puissance. D'ailleurs, le Code de la construction du Québec 2007, chapitre *électricité,* précise que, lorsqu'un micro-onde est encastré dans une armoire, sa prise doit être alimentée par une dérivation dédiée qui n'alimente aucune autre sortie. La règle s'applique aux nouvelles constructions ou lorsqu'on réaménage la cuisine et que les circuits doivent être refaits.

Si aucun autre circuit n'est libre pour rebrancher l'un ou l'autre des appareils, que vous n'avez pas l'intention de refaire la cuisine à court terme, mais que vous en avez marre des sautes de courant et des allées et venues au sous-sol pour réarmer le disjoncteur, consultez un maître électricien qui pourra, selon le cas, recommander une solution. La plupart du temps, il est facile de faire ajouter un circuit et le coût des travaux est tout à fait raisonnable.

LA RALLONGE ÉLECTRIQUE

Quel type de rallonge électrique doit-on se procurer pour brancher une tondeuse électrique?

Avant toute chose, vous devez vérifier la prise de courant extérieure dans laquelle la rallonge sera branchée. Est-ce bien une prise de type DDFT ou s'agit-il d'un vieux modèle à deux fentes (donc dépourvue de mise à la terre)? S'il s'agit d'une prise DDFT, assurez-vous qu'elle fonctionne bien en appuyant sur le bouton «test». Si elle est défectueuse ou qu'elle est non conforme, faites venir un électricien.

Cela fait, vous pouvez passer à l'étape suivante: l'achat de la rallonge. Elle doit être conçue pour un usage extérieur et le câble doit être suffisamment long, sans qu'il y ait exagération. Si vous n'avez pas plus de 16 mètres à franchir pour atteindre la section la plus reculée de votre terrain, il est alors inutile de vous procurer une rallonge de plus de 20 m.

Parmi les choix offerts, optez pour le modèle affichant le meilleur calibre, qui est identifié à l'aide de chiffres pairs allant de 0 à 18. Plus le chiffre est bas, plus le diamètre du câble est gros; plus il est gros, plus le câble pourra transporter une grande quantité de courant. Outre la grosseur du câble, il faut tenir compte de sa longueur. Plus il est long, plus sa résistance interne (son impédance) augmente; plus cette résistance est grande, moins le courant passe. D'où l'importance de choisir un meilleur calibre, par exemple un câble de calibre 12 AWG (American Wire Gauge) plutôt qu'un calibre de 14.

 Conseil

Les rallonges électriques ne sont pas conçues pour une utilisation permanente et doivent être débranchées après chaque usage. Évitez de les enrouler sur elles-mêmes lorsqu'elles sont branchées; dans la maison, ne les laissez pas courir sous un tapis.

LES TRAVAUX ÉLECTRIQUES

Mon beau-frère, qui n'est pas électricien, m'a offert de faire les travaux d'électricité dans mon sous-sol. Une bonne ou une mauvaise idée ?

Au Québec, la Loi sur le bâtiment précise que les travaux électriques doivent être effectués par un maître électricien titulaire d'un permis émis par la Corporation des maîtres électriciens du Québec.

Imaginez qu'un incendie se déclare dans votre résidence et que l'enquête qui s'ensuit détermine qu'une défectuosité du système électrique en est la cause. De plus, vous avez égaré la facture liée aux travaux exécutés (si facture il y a...). Pouvez-vous maintenant imaginer la suite, les longues discussions avec la compagnie d'assurance ? Il se pourrait très bien qu'on soit réticent à vous indemniser.

Il est vrai qu'il s'agit ici du pire des scénarios. Après tout, quel est le problème à changer un luminaire, un interrupteur ou une prise de courant ? Le problème, c'est que ce n'est pas permis. Et la meilleure assurance, c'est de faire affaire avec un maître électricien.

 Conseil

Dans la maison, c'est simple, on ne touche pas à l'électricité ! C'est la loi. Encore une fois, la seule personne autorisée à faire des travaux électriques, c'est un maître électricien membre de la Corporation des maîtres électriciens du Québec.

LES PANNEAUX DE DISTRIBUTION

L'emplacement

Bien que les panneaux de distribution soient à proscrire dans une salle de bains, ils peuvent toutefois y être installés si elle ne comporte pas de bain ni de douche. Ils sont notamment interdits dans les placards à vêtements, les cages d'escalier ou à l'intérieur des armoires de la cuisine.

L'accessibilité

Ils doivent être faciles d'accès en tout temps. On évite donc de positionner un congélateur juste en dessous, et on déplace l'équipement encombrant ainsi que les boîtes de carton entreposées au pied du panneau. Un dégagement d'au moins 1 mètre avec toute autre surface est à prévoir.

8

CHAUFFAGE ET CLIMATISATION

LES MODES DE TRANSMISSION DE LA CHALEUR

Entre deux milieux qui ne sont pas à la même température, l'énergie (la chaleur), qui cherche à s'équilibrer, se déplacera de la zone la plus chaude vers la moins chaude. La vitesse de cette transmission est proportionnelle à l'écart de température et s'effectue de trois façons.

- **Par conduction**
  Le transfert thermique s'opère sans déplacement de matière entre deux milieux en contact ou dans un même objet soumis à une différence de température. Le manche d'une poêle en fonte qu'on fait chauffer sur la cuisinière constitue un bon exemple.

- **Par convection**
  Le transfert de la chaleur est initié par le mouvement d'un fluide (l'air ou l'eau). Lorsqu'on réchauffe l'air, son volume augmente. Elle devient alors moins dense et tend à flotter au-dessus du fluide moins chaud, qui est par conséquent plus lourd. L'air se met en mouvement et la chaleur se déplace. Une plinthe électrique fonctionne par convection.

- **Par rayonnement thermique**
  Le transfert thermique se fait par ondes électromagnétiques sans qu'il y ait présence de matière. Le soleil et la flamme d'un feu diffusent leur chaleur par rayonnement.

▶ Les modes de transmission de la chaleur

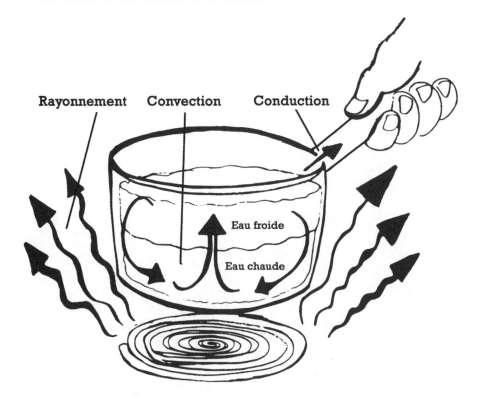

LE CHAUFFAGE : FAITES LE CALCUL !

On calcule qu'une plinthe chauffante affiche une puissante de 250 W (watts) par pied. Une plinthe d'une longueur de 4 pieds fournira donc une puissance de 1000 W.

La quantité de chauffage dans une pièce est calculée en watts par pied carré. Dans les vieilles maisons, on recommandait 10 W/pi^2 alors que les besoins en chauffage sont de 7 W/pi^2 pour les nouvelles constructions écoénergétiques.

L'ÉCONOMIE D'ÉNERGIE

L'installation d'un thermostat programmable permettra-t-elle de diminuer les frais de chauffage?

L'ajout d'un thermostat programmable dans une habitation qui est difficile à chauffer permet sans aucun doute de réaliser quelques économies sur la facture de chauffage. Toutefois, cette initiative ne réglera en rien le problème s'il est causé par un manque d'isolation et d'étanchéité. La différence se fera davantage sentir sur le plan du confort. Pourquoi? Parce que les occupants subiront moins les variations de température. Pour se faire une image, un thermostat conventionnel est comme un interrupteur on/off, alors que le thermostat programmable agit davantage comme une pédale d'accélération; à l'approche de la température programmée, il diminue en puissance pour que la température demeure plus constante.

Avec les modèles conventionnels, à supposer que la température soit réglée à 21°C, le thermostat s'arrête une fois que la température demandée est atteinte. La chaleur se déplace ensuite dans la pièce, puis l'air se refroidit, pour retomber à 19 ou 20°C; le thermostat se remet alors en marche. Autrement dit, il faut que la pièce se refroidisse pour que le thermostat se remette en fonction.

En sélectionnant la même température sur un thermostat programmable, celui-ci se met en marche et baisse légèrement en intensité à l'approche de 21°C; il maintiendra ensuite le niveau de température. Cette constance est synonyme de confort.

Dans une pièce équipée d'un thermostat conventionnel, la température cyclique peut ainsi varier entre 19 et 23 °C. Or, en partant du principe que les pertes en chaleur sont proportionnelles à la différence de température entre l'intérieur et l'extérieur, cela se traduit par des pertes énergétiques qui finissent par faire la différence dans la balance.

Les thermostats programmables peuvent aussi abaisser ou augmenter automatiquement la température à certaines heures de la journée dans les pièces où ils sont installés. On peut donc les programmer en fonction des besoins en chauffage d'un ménage : la température est réduite la nuit lorsque tout le monde dort, puis elle est revue à la hausse juste avant le réveil, pour ensuite baisser de nouveau à la suite des départs pour l'école et le travail, et pour finalement remonter juste avant le retour des occupants.

Voilà une façon pratique d'économiser, surtout lorsqu'on n'a pas toujours le réflexe de régler la température le soir avant d'aller dormir ou lorsqu'il n'y a personne à la maison durant la journée.

LA DISTRIBUTION DE LA CHALEUR

Pourquoi, en hiver, l'une des pièces de la maison est-elle beaucoup plus froide que les autres ?

En excluant la possibilité qu'une conduite de distribution d'air chaud soit mal raccordée ou qu'une défectuosité du système de chauffage soit en cause, plusieurs raisons peuvent expliquer qu'une pièce soit plus froide (moins chaude) que les autres. Un premier facteur à considérer est son emplacement dans le bâtiment. Les pièces situées dans les coins et qui comptent deux murs donnant sur l'extérieur risquent d'être plus froides que les autres. Les pièces orientées au nord sont dans la même situation, simplement parce qu'elles n'ont pas l'occasion de profiter des gains solaires durant la journée.

La fenestration joue aussi un rôle important. Si tout le côté d'une pièce compte plus d'ouvertures que de murs et que ces fenêtres sont plus ou moins efficaces sur le plan énergétique, il est normal qu'il y fasse plus froid en hiver. En contrepartie, il y fera aussi plus chaud en été si les fenêtres s'ouvrent en direction sud.

Maintenant, vous pouvez imaginer l'inconfort ressenti si l'on combine ces trois facteurs, soit une pièce aménagée dans l'angle d'une maison et dotée d'une grande surface vitrée faisant face au nord...

On pense souvent à tort que les plinthes électriques sont responsables des épisodes d'air sec que connaissent les maisons en hiver. Toutefois, il est faux de croire que le type de chauffage a une influence sur le taux d'humidité ambiant. La réalité est que l'air sec est généralement présent dans une habitation mal isolée qui n'est pas suffisamment étanche. Bref, c'est souvent le sort réservé aux maisons d'un certain âge qui agissent comme de véritables passoires en invitant l'air froid à entrer comme bon lui semble.

Le phénomène s'explique par le fait que l'air froid (donc moins chaud) ne peut contenir autant d'humidité que l'air plus chaud. Lorsque cet air pénètre dans la maison, il se réchauffe et le taux d'humidité relative chute. Évidemment, quand le taux est trop bas, donc que l'air est trop sec, la peau et la gorge nous piquent, le nez, les yeux nous irritent et l'électricité statique finit toujours par nous surprendre quand on s'y attend le moins. À l'inverse, un taux d'humidité trop élevé peut occasionner des problèmes de condensation et, dans le pire des cas, favoriser le développement de moisissures pouvant nuire à la santé des occupants. Les deux situations ne sont pas souhaitables.

Notez que les nouvelles maisons construites conformément aux exigences du Code en matière d'efficacité énergétique sont très hermétiques. Le taux d'humidité intérieur y est plus facile à maintenir, à condition que l'échangeur d'air soit en fonction et qu'il soit bien réglé.

LE SYSTÈME À AIR PULSÉ

Cet appareil entraîne l'air vers un générateur de chaleur fonctionnant à l'électricité, au gaz ou au mazout (qu'on appelle communément une fournaise); l'air réchauffé est ensuite distribué dans toutes les pièces de la maison par le biais de conduits de ventilation. Un réseau comprend des conduits principaux et secondaires, les uns réservés à la distribution de l'air dans toutes les pièces de la maison et les autres servant à retourner l'air vers la fournaise.

Pour bien fonctionner, un système à air pulsé a besoin d'être alimenté en air. Si l'approvisionnement fait défaut, la distribution d'air chaud sera insuffisante, simplement parce qu'il n'y aura pas d'air à chauffer. Les conduits de ventilation sont l'un des facteurs qui font la différence dans l'alimentation en air. Assurez-vous d'opter pour des conduits:

- de plus gros diamètre (6 po plutôt que 4 po);
- de forme ronde plutôt que rectangulaire;
- lisses, parce qu'ils s'opposent moins au passage de l'air que ceux qui sont flexibles;
- les plus courts possible;
- comportant le moins de coudes possible.

▶ Installation d'un système de chauffage à air pulsé

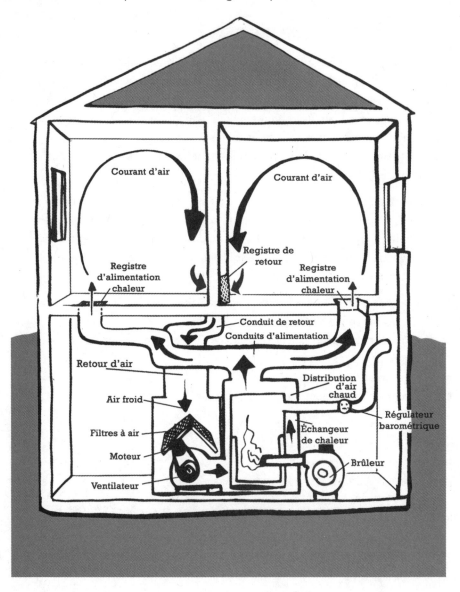

LES PLINTHES ÉLECTRIQUES

Pourquoi ressent-on un courant d'air froid à proximité d'une plinthe chauffante (un calorifère)?

Une plinthe électrique chauffe l'air par convection. L'air réchauffé, qui est plus léger, monte dans la pièce, alors que l'air froid se maintient au niveau du sol; c'est lui qui alimente la plinthe. Ainsi, une personne qui est assise sur une chaise, dos au calorifère, n'aura pas froid dans le dos, mais plutôt aux pieds, car elle ressentira un courant d'air. L'air froid présent dans la pièce converge naturellement vers la plinthe. Et plus l'écart de température est important, plus il est facile de le ressentir. Il faut alors sortir ses gros bas de laine pour garder les pieds au chaud!

Prenons l'exemple de cette même personne, toujours assise sur une chaise, mais cette fois étant dos à une porte-fenêtre. Elle risque de frissonner, et ce, même si la température à l'intérieur de la pièce est de 21°C. Pourquoi? Parce que le transfert thermique se fait toujours vers l'endroit le moins chaud (ou le plus froid). La porte-fenêtre étant une grande surface froide, elle attire vers elle la chaleur du corps et provoque l'inconfort de celui qui s'assoit à proximité. Encore une fois, plus la différence de température entre le corps et la surface froide est grande, plus la perte de chaleur (par rayonnement) sera importante. Il faudra alors se vêtir d'un bon chandail pour retrouver son confort.

Qu'est-ce qui occasionne des bruits dans les plinthes électriques ?

Le « tic-tic-tic » d'une plinthe électrique vous empêche de dormir ? À moins qu'il s'agisse d'un problème lié au fonctionnement de l'appareil, les bruits engendrés par les plinthes électriques sont dus à la dilatation du métal. Évidemment, plus les plinthes sont longues, plus le phénomène est amplifié et plus le bruit est perceptible.

Plus besoin de se mettre des bouchons dans les oreilles pour tomber dans les bras de Morphée! Pour en finir avec vos plinthes bruyantes, installez des thermostats programmables dans les pièces où ces bruits vous dérangent, comme la chambre à coucher. Car lorsque la chaleur dans ces pièces sera plus uniforme et qu'il n'y aura plus de variation de température, il n'y aura plus de dilatation des matériaux comme les métaux qui composent les plinthes. Et quand on sait qu'une plinthe électrique est constituée d'une série d'ailettes en aluminium et d'un élément chauffant intégré dans un boîtier en acier, on comprend qu'il est important de minimiser les écarts de température.

LES PLINTHES *VS* LES CONVECTEURS

Le remplacement des plinthes électriques par des convecteurs contribuera-t-il à une économie d'énergie justifiant la dépense que ce changement engendre ?

La plinthe et le convecteur sont deux appareils de chauffage similaires puisqu'ils réchauffent l'air de la même façon, soit par convection. Alors que la plinthe est longue et mince, le convecteur est plus compact et plus haut. C'est donc leur format respectif qui les différencie.

En théorie, le convecteur n'a pas besoin d'être aussi chaud que la plinthe conventionnelle pour générer la même quantité de chaleur, car l'air froid soutiré au niveau du sol est réchauffé en passant à travers l'appareil de chauffage. Avec la plinthe, le parcours de l'air est beaucoup plus court en raison du profil bas de l'appareil. En contrepartie, l'air mettra plus de temps à traverser le convecteur. Conséquemment, les éléments chauffants n'auront pas à être aussi chauds pour que l'air sorte à la même température.

En ce qui concerne l'économie d'énergie, il faut savoir que les convecteurs sont plus chers ; avant que l'économie réalisée ne soit équivalente à l'argent déboursé, il faudra être patient. Il y a par contre de bonnes raisons pour lesquelles le choix d'un convecteur va de soi. Parce qu'on ne veut pas positionner l'appareil derrière un meuble, parce qu'un pan de mur est trop étroit pour recevoir une plinthe, etc. Bien que la puissance des deux appareils soit similaire, le convecteur a tout de même l'avantage de présenter un format plus compact, ce qui le rend plus «polyvalent».

LE CHAUFFAGE AU MAZOUT

Dans le langage courant, on entend souvent l'expression «chauffer sa maison à l'huile», pour parler du chauffage au mazout. Pour entreposer le combustible utilisé pour alimenter le générateur de chaleur d'un système à air pulsé, on a recours à un réservoir habituellement installé dans un coin réservé au sous-sol.

Ce qu'il vous faut savoir à propos du réservoir :

- sa durée de vie utile est de 20 ans ;
- il doit comporter une plaque signalétique attestant sa capacité, sa date de fabrication et sa certification ;
- il ne doit montrer aucun signe de suintement ou de rouille (car s'il y a de la rouille en surface, c'est que l'intérieur est aussi tout rouillé) ;
- il ne doit pas être peint (car cela masquerait sa condition réelle) ;
- il est muni d'un sifflet pour éviter les trop-pleins lors du remplissage et d'une jauge indiquant le niveau de mazout ;
- son filtre doit être remplacé tous les ans et il est le plus souvent à l'origine d'une fuite ;
- il doit être légèrement incliné (afin d'éviter la formation de condensation).

 Conseil

Une grande litière est nécessaire, non pas pour servir à une armée de chats, mais pour y déposer le réservoir de mazout. C'est simple : on construit un bac, puis on dépose un polythène ou une membrane auto-collante à l'intérieur. On le remplit ensuite de litière à chat. Advenant une fuite dans le réservoir, le mazout sera absorbé par la litière plutôt que de contaminer la dalle de béton. Parfois, il vaut mieux prévenir que guérir !

L'UTILISATION D'UN FOYER COMME CHAUFFAGE D'APPOINT

La chaleur dégagée par notre foyer n'est pas suffisante pour faire office de chauffage d'appoint ; comment faire pour améliorer son rendement ?

Les vieux foyers en maçonnerie utilisés jadis pour chauffer les maisons n'ont plus cette vocation. Même s'ils sont conformes aux normes, leur performance en matière d'efficacité énergétique laisse à désirer. Dans nos maisons modernes, leur fonction première n'est pas de chauffer l'espace : on doit plutôt les considérer comme des éléments décoratifs. Ils créent une belle ambiance avec leurs flammes dansantes, mais la chaleur qu'ils dégagent ne suffit pas aux besoins en chauffage.

Vous avez donc davantage besoin d'un poêle à bois à combustion lente comme chauffage d'appoint. Car contrairement au foyer, il génère assez de chaleur pour tempérer une maison lors de pannes de courant. C'est par ailleurs l'usage qu'Environnement Canada recommande d'en faire : n'utilisez le poêle à bois qu'en dernier recours, quand il n'y a plus d'électricité pour se chauffer, histoire de maintenir une chaleur minimale à l'intérieur et ainsi éviter que les tuyaux de plomberie ne gèlent.

On le dit et on le répète souvent : le chauffage au bois pollue et il contribue à l'augmentation du smog dans les agglomérations urbaines. Et, bien que les appareils certifiés EPA (*Environmental Protection Agency*) de la nouvelle génération soient plus efficaces et que les émissions de particules fines soient considérablement réduites, on suggère tout de même d'en limiter l'utilisation.

LA SITUATION SUR L'ÎLE DE MONTRÉAL

Depuis 2009, la Ville de Montréal interdit l'installation de nouveaux appareils de chauffage au bois sur son territoire. Ceux alimentés au gaz, aux granules et à l'éthanol sont toutefois permis. En ce qui concerne les appareils résidentiels existants de chauffage au bois, la Ville s'apprête à adopter un projet de réglementation obligeant les propriétaires à les condamner. Les avis sur le sujet sont partagés : certains dénoncent ces mesures jugées abusives, alors que d'autres, soucieux de la qualité d'air, applaudissent l'initiative. Quoi qu'il en soit, le dossier reste à suivre. La date d'entrée en vigueur est prévue en 2020.

LES FOYERS : LA SÉCURITÉ AVANT TOUT !

Votre appareil de chauffage au bois est-il homologué ?

Les dégagements avec les surfaces environnantes sont-ils respectés ?

La cheminée est-elle en bonne condition et équipée d'un chemisage indépendant en acier inoxydable ?

Le bois de chauffage utilisé pour alimenter le foyer est-il approprié ?

Pour vous assurer de la conformité de votre installation, faites affaire avec un professionnel titulaire d'une attestation décernée par l'Association des professionnels du chauffage (APC). Pour de plus amples renseignements concernant la sécurité, vous pouvez communiquer avec votre service municipal d'inspection des bâtiments et de prévention des incendies.

LA THERMOPOMPE ET L'APPAREIL DE CLIMATISATION

Est-il préférable d'opter pour une thermopompe ou pour un système de climatisation central ?

L'argument habituellement servi aux indécis qui se demandent s'ils devraient opter pour une thermopompe plutôt que pour un climatiseur central est que, pour environ 1000 $ de plus, ils obtiendront un appareil leur permettant à la fois de climatiser la maison et d'économiser sur les frais de chauffage. Présenté de cette façon, le choix semble évident, mais il faut tout de même analyser la situation de plus près.

En effet, les fabricants font souvent miroiter des économies d'énergie de l'ordre de 30 à 35 %. La vérité est que, à long terme, soit après 4 ou 5 années d'utilisation, la performance initiale de l'appareil chute et le pourcentage se stabilise autour de 15 à 25 %. De même, l'efficacité de l'appareil est tributaire de l'entretien qui lui est accordé ; des frais de service s'ajouteront inévitablement à la facture totale.

La durée de vie d'une thermopompe est d'environ 15 ans, alors que celle d'une climatisation centrale est de 20 à 25 ans. Qu'est-ce qui explique une telle différence ? La raison est simple : le climatiseur n'est sollicité que sur une courte période de temps, et il ne fonctionne pas par temps froid. Il est donc normal que sa longévité soit plus élevée et qu'il brise moins souvent.

En fin de compte, la décision d'opter pour une thermopompe ou pour un climatiseur central revient à chacun. Si vous décidez d'investir dans une thermopompe, faites-le davantage pour le confort que pour l'économie d'énergie tant vantée. Car si l'on tient compte du déboursé initial (incluant l'installation), des frais d'entretien et de réparation, des coûts additionnels d'électricité pour les besoins en climatisation, et que l'on considère la durée de vie utile de l'appareil qui est somme toute limitée, il devient évident que l'économie ne sera pas suffisante pour amortir l'achat.

L'INSTALLATION D'UN CLIMATISEUR

Quel est le meilleur endroit pour installer un climatiseur de fenêtre ou un modèle portable ?

Il faut d'abord déterminer quel sera l'endroit dans la maison où les occupants profiteront le plus de la climatisation. Un modèle de fenêtre est intéressant, car il est peu coûteux, mais si son format impose un seul emplacement, et que cet emplacement est la fenêtre de la cuisine située au-dessus de l'évier, il est probable que vous apprécierez moins l'appareil au moment de faire la vaisselle.

Il est tout à fait logique d'installer le climatiseur dans la pièce où l'on passe le plus de temps dans la journée. Encore faudra-t-il vous accommoder du bruit et ne pas vous laisser déconcentrer par les décibels. Parce qu'il ne faut pas oublier que ce type d'appareil, bien que fort pratique, est assez bruyant.

La chambre à coucher est une autre possibilité. De toutes les pièces de la maison, c'est certainement l'endroit où la climatisation est la plus appréciée en période de canicule. Il reste que la question du bruit n'est pas éludée pour autant. Dans la mesure du possible, l'idéal est d'installer le climatiseur à l'extérieur des chambres pour éviter que le bruit de son fonctionnement ne perturbe le sommeil des occupants, mais assez près de celles-ci pour qu'ils puissent tout de même profiter au maximum de l'apport d'air frais.

LA CAPACITÉ D'UN CLIMATISEUR

Comment déterminer la capacité d'un climatiseur afin de s'assurer que l'appareil choisi est suffisamment puissant pour refroidir l'ensemble de la maison?

Le syndrome du voisin gonflable, vous connaissez? Toujours plus gros, toujours plus puissant et encore plus performant... C'est souvent ce qu'on vise au moment de choisir un appareil de climatisation. 15 000, 20 000, 25 000 BTU! Wow, j'achète!

En climatisation, il ne s'agit pas de viser trop haut, mais de viser juste. Si sa capacité est trop petite, le climatiseur ne répondra pas adéquatement à vos besoins, et si elle est trop grande, elle affectera le confort des occupants.

Car l'appareil de climatisation abaisse le taux d'humidité relative à l'intérieur de la maison. Et l'humidité est l'un des ennemis du confort. À partir du moment où le taux d'humidité diminue, on ne ressent plus autant la chaleur, du moins notre perception de celle-ci change. Un appareil trop puissant s'arrêtera plus souvent: il va refroidir l'air rapidement, mais son cycle de fonctionnement ne sera jamais assez long pour suffisamment déshumidifier la pièce. Le confort ne sera donc pas au rendez-vous. C'est la raison pour laquelle il vaut mieux opter pour un plus petit modèle qui travaillera plus fort et plus longtemps, mais qui abaissera davantage le taux d'humidité.

Notez que la capacité de l'appareil est calculée en fonction de la surface de plancher de l'espace à climatiser. Cependant, elle dépend aussi de l'orientation de l'espace, des gains solaires, de la qualité de l'isolation de la maison, etc. Pour vous aider à faire un choix éclairé, consultez un spécialiste en climatisation.

LA DIFFÉRENCE ENTRE UNE THERMOPOMPE ET UN APPAREIL DE CLIMATISATION

D'abord, il est utile de savoir que l'appareil de climatisation centrale n'offre que la fonction de refroidir l'air, alors que la thermopompe climatise et chauffe la maison en soutirant la chaleur présente dans l'air extérieur.

Il est donc impossible, simplement à l'œil, de faire la différence entre ces deux appareils. Il faut donc y voir de plus près en vérifiant la plaque signalétique sur laquelle est inscrit le numéro de série. Dans le cas d'une thermopompe, la plaque indique clairement la capacité de climatisation (*Cooling Capacity*), qui est exprimée en BTU, ainsi qu'une capacité de chauffage (*Heating Capacity*), également exprimée en BTU. Ce type d'appareil comprend également une valve d'inversion permettant de passer du mode chauffage au mode climatisation.

ZOOM SUR...

LES AVANTAGES ET LES INCONVÉNIENTS DES APPAREILS DE CLIMATISATION

Le climatiseur de fenêtre

Faisant partie des produits les plus abordables, il est aussi facile à installer et il nécessite peu d'entretien. Il est toutefois bruyant et ne convient pas à tous les types de fenêtre.

Le modèle encastrable de type mural

Il s'agit du même appareil que le climatiseur de fenêtre, à la différence qu'il s'insère dans une ouverture aménagée dans un mur extérieur et qu'il est un peu plus silencieux.

Le modèle portable

Puisque ce climatiseur est muni de roulettes sous sa base, il est facile à déplacer, ce qui s'avère pratique lorsqu'il encombre l'espace où il est installé.

Le bi-bloc

Ce modèle est de plus en plus populaire, d'abord parce qu'il est très efficace et qu'il ne requiert aucun conduit, mais aussi parce qu'il est moins bruyant, le compresseur et le condensateur étant à l'extérieur. L'unité est jumelée à un ou à plusieurs diffuseurs d'air qui sont fixés sur la partie supérieure des murs.

Le système central

Un système central est très efficace et peut climatiser toutes les pièces d'une maison par le biais de conduits de ventilation. Il est conséquemment plus coûteux.

9

À L'INTÉRIEUR

LES PANNEAUX DE PLÂTRE

Feuille de gypse, gypse tout court, Gyproc et Placoplâtre (qui sont des marques de commerce), plaques de plâtre, cloisons sèches... Voici les différents termes utilisés pour parler d'un même produit usiné, soit les panneaux muraux qui habillent vos murs et vos plafonds. Ils sont constitués d'une âme en plâtre – le fameux gypse – pressée entre deux feuilles de papier cartonné. Ils sont offerts en plusieurs épaisseurs et formats (certains sur commande spéciale) selon l'ouvrage à réaliser. Par exemple, un mur qui donne sur l'extérieur doit être constitué de panneaux de plâtre d'une épaisseur de 5/8 po.

On choisit le type de placo (c'est son petit nom!) en fonction des particularités de la pièce qui les accueillera. Par exemple, dans un endroit humide comme la salle de bains, on opte pour des panneaux hydrofuges, qui sont spécialement conçus pour résister à l'humidité et à la moisissure. Les panneaux de béton léger sont aussi une bonne option, car ils sont encore plus performants. Ils sont donc tout indiqués sur les murs de la douche, sur lesquels seront apposés des carreaux muraux.

Il existe aussi des panneaux dits de type X. Ils sont conçus pour offrir une plus grande résistance au feu, et ils sont notamment utilisés dans les garages.

Enfin, on trouve aussi des panneaux spécialisés. Certains sont spécialement conçus pour offrir une résistance supérieure au fléchissement ou encore pour résister aux coups. D'autres sont plus «flexibles» et se prêtent davantage aux structures courbes.

LES PANNEAUX DE PLÂTRE – FISSURE

Chaque hiver, c'est la même chose : une fissure apparaît à la jonction des murs et du plafond, puis elle disparaît l'été venu. S'agit-il d'un problème de structure ?

L'hiver et l'été ; deux saisons présentant des conditions extrêmes qui font la vie dure aux différentes composantes d'une maison. Une fissure qui apparaît en hiver pour ensuite disparaître l'été n'a rien à voir avec la magie. Le phénomène est attribuable au travail des fermes de toit en raison de la façon dont elles sont conçues.

Plus spécifiquement, ce sont les membrures, c'est-à-dire les pièces supérieures et inférieures qui composent une ferme (ou une poutre), qui sont «tiraillées» par l'écart de température entre deux milieux. Or, dans une maison, on sait maintenant que c'est dans l'espace sous le toit que cherche à s'installer l'humidité en hiver. Ainsi, la membrure supérieure s'allonge lorsqu'elle est exposée au froid et à l'humidité ; celle du bas, qui est protégée par l'isolant, ne suit donc pas ce mouvement. Le phénomène est suffisamment fort pour soulever la pointe des fermes et faire fissurer le plafond.

Avec le retour des belles températures et la hausse du mercure, c'est le contraire qui se produit. La membrure du haut est alors soumise à la surchauffe de l'entretoit. La fissure se referme donc pour mieux revenir l'hiver suivant. Ne vous entêtez pas à la réparer: un meilleur contrôle du taux d'humidité présent dans la maison durant l'hiver permettra sans doute de minimiser le phénomène. L'installation d'une doucine (moulure communément appelée O'gee) à la rencontre des murs et du plafond permet aussi de masquer la fissure, bien qu'elle doive être uniquement fixée à la structure du plafond afin de pouvoir suivre le mouvement.

Il est aussi possible qu'une fissure présente dans un angle mur-plafond résulte d'une mauvaise installation des panneaux de gypse. Cela survient lorsqu'on pose les panneaux muraux avant ceux du plafond: on doit généralement faire l'inverse. Les joints sont donc plus fragiles et plus sujets à se fissurer. C'est particulièrement vrai dans le cas d'une maison neuve, puisque les éléments structuraux s'assèchent au fil des mois. Il est sage d'attendre que la structure se stabilise (de 12 à 18 mois) avant de réparer de telles fissures.

LE SOULÈVEMENT DES CLOUS

Comment expliquer que des têtes de clous apparaissent à la surface des murs de gypse d'une maison neuve?

Lorsqu'on construit une nouvelle maison, les matériaux demeurent exposés aux intempéries jusqu'à ce que l'enveloppe extérieure du bâtiment soit terminée. Leur teneur en eau (humidité) est alors très élevée. Si l'ossature des murs est encore bien humide au moment de la pose des panneaux de gypse, il faut s'attendre à ce qu'elle «travaille» au cours des mois suivant le parachèvement des travaux. Quand s'amorce la saison de chauffage, l'ossature en bois sèche et se contracte, tirant ainsi sur les panneaux muraux. Cette pression fait céder la finition à l'emplacement des clous, et les têtes vont apparaître à la surface. Bien qu'on ne puisse pas empêcher une structure de rétrécir en séchant, le phénomène est moins marqué lorsque des clous plus courts sont utilisés. Une nouvelle construction mettra entre 12 et 18 mois avant d'offrir une certaine stabilité.

Les vis, quant à elles, offrent une fixation plus solide que les clous à gypse. Il est donc plus rare, mais pas impossible, qu'elles fassent surface. Lorsqu'elles le font, il s'agit plutôt d'un vissage inadéquat. Par exemple, un ouvrier qui remarque qu'une tête de vis ressort juste avant d'effectuer la finition la frappera généralement d'un petit coup de marteau pour bien la loger dans le panneau. Ce faisant, il perce la surface cartonnée et la vis n'est plus d'aucune utilité. Elle ressortira donc de ce trou après le séchage.

Les contraintes appliquées à une structure «qui travaille» sont importantes. Il arrive même parfois que les fixations (les clous et les vis) utilisées pour l'assemblage de la charpente cèdent sous la pression. Le bruit fait penser à une détonation.

Puis-je recouvrir un mur qui est composé de plâtre et de lattes de bois avec des panneaux de plâtre?

Avant l'arrivée des panneaux de plâtre qui ont été popularisés au début des années 60, on appliquait le plâtre sur un support constitué de lattes en bois clouées à l'ossature. En raison de la facilité de leur installation, les panneaux de plâtre se sont rapidement imposés et les techniques traditionnelles de plâtrage sont peu à peu tombées dans l'oubli.

Bien qu'ils témoignent d'une autre époque, les murs enduits de plâtre sont encore présents dans de nombreuses maisons construites dans les années 30-40. En vieillissant et sous l'effet des vibrations, le plâtre devient moins résistant et des sections peuvent se détacher. Quand vient le temps de rénover une pièce, certains propriétaires, par souci d'authenticité, vont opter pour un replâtrage des murs. Cependant, avant même de confier la truelle à une main-d'œuvre expérimentée (les vrais plâtriers sont une denrée rare!), il faut d'abord identifier les problématiques (humidité, lattage endommagé, etc.) et apporter les correctifs qui s'imposent. Autrement, les défauts se manifesteront à nouveau si la «base» n'est pas saine ni en bon état.

Il est possible de poser les panneaux de plâtre (3/8 po) directement sur un ancien revêtement plâtré. Mais il faut être bien certain que le mur ne présente pas d'anomalies, que le support est en bonne condition et que la fixation est adéquate. Car si le plâtre est craquelé et le moindrement lâche à certains endroits, le poids du nouveau panneau apposé sur ce dernier peut suffire à accélérer son détachement.

L'EAU, L'ENNEMIE...

À l'intérieur d'une maison, les problèmes les plus fréquents sont ceux causés par l'eau qui s'infiltre ou par celle qui fuit. Les dommages sont généralement causés :

- par les amoncellements de glace en débord du toit ;
- par la neige fondante ;
- par les fuites de la plomberie, du radiateur, du chauffe-eau et du système de climatisation ;
- par les infiltrations au niveau des solins ;
- par les infiltrations au niveau des portes et des fenêtres ainsi qu'à l'emplacement d'un lanterneau ;
- par les déversements accidentels, etc.

On l'a déjà dit : la première chose à faire est d'identifier la source du dommage et de vérifier si elle est toujours active. Il faut ensuite évaluer l'étendue des dégâts et identifier les solutions permettant de corriger la situation.

LES MOISISSURES

Faut-il enlever un mur de gypse sur lequel des taches noirâtres sont apparues, ou un nettoyage suffit ?

Les moisissures sont des micro-organismes fongiques qui comprennent les champignons et les levures. Certaines sont comestibles (les fromages bleus en contiennent), voire bénéfiques pour la santé (la pénicilline), alors que d'autres sont carrément toxiques.

Pour qu'une moisissure se développe, il lui faut un milieu favorable. Les moisissures ne se forment pas sur des surfaces sèches, mais plutôt sur les matériaux qui sont mouillés et affectés par l'humidité. Ce faisant, elles envoient dans l'air des spores, qui sont évidemment invisibles à l'œil nu.

Si les moisissures sont problématiques, ce n'est pas seulement parce qu'elles contribuent à la pourriture du bois et à la dégradation de la structure des bâtiments. Elles peuvent aussi nuire à la santé des occupants. Les personnes âgées, les enfants, les individus déjà affaiblis par la maladie ainsi que ceux souffrant d'allergies ou d'une affection pulmonaire chronique comme l'asthme sont plus à risque de souffrir de troubles liés à la présence de moisissures dans leur environnement.

À partir du moment où l'on peut observer de la moisissure sur une surface comme un mur de gypse, on sait qu'il y a un problème d'humidité. La première chose à faire est de mesurer l'ampleur des dégâts afin de déterminer la méthode d'intervention. La zone affectée est jugée petite si la moisissure se manifeste à trois endroits ou moins sur une superficie maximale de 3 pi². En prenant les précautions nécessaires (port de gants et d'un masque), le propriétaire peut nettoyer la zone affectée avec une solution d'eau additionnée d'eau de Javel. Il doit ensuite déterminer d'où vient cet excès d'eau ou d'humidité et faire en sorte de corriger la situation.

On parle d'une surface moyenne lorsque la moisissure est présente à plus de trois endroits à l'intérieur d'une surface de 3 pi², ou qu'elle est localisée à un seul endroit sur une superficie inférieure à 10 pi². Il faut alors retenir les services d'une entreprise spécialisée afin de faire évaluer la situation. Dans les cas les plus graves, les spécialistes devront procéder à l'évaluation et à la décontamination des lieux.

On l'a dit et on le répète : si l'on ne remonte pas à la source du problème (infiltration, fuite, pont thermique), ce ne sera que partie remise. Tant que la moisissure trouvera matière à se nourrir (de l'eau!), elle reviendra, c'est inévitable.

LA PEINTURE –
CLOQUES ET AUTRES DÉFAUTS

Pourquoi la peinture appliquée sur les murs de l'une des pièces de notre maison fait-elle des bulles ?

Les cloques (bulles), le craquelage et l'écaillement sont les défauts que l'on rencontre le plus souvent avec la peinture. Le fini peint cloque lorsque le feuil de la peinture (la pellicule mince qui reste sur le mur après le séchage) n'adhère plus à la surface sous-jacente. Parmi les différentes causes possibles, mentionnons :

- une préparation inadéquate de la surface à peindre ;
- une incompatibilité des produits (peinture à l'huile sur une peinture au latex) ;
- un temps de séchage insuffisant avant l'application d'une deuxième couche ;
- la présence d'humidité dans le mur.

La préparation de la surface à peindre est souvent la clé de la réussite : elle doit être propre et sèche. Un produit à base de latex peut être utilisé pour recouvrir un vieux fini à l'huile seulement s'il est préalablement enduit d'un apprêt à l'acrylique, car cette précaution favorise l'adhérence de la nouvelle peinture. Pour les mêmes raisons, si le mur à peindre présente une finition lustrée, il est préférable de bien poncer sa surface (et de la nettoyer ensuite) avant de sortir les rouleaux et les pinceaux.

Si la surface n'est pas tout à fait sèche et qu'on applique une deuxième couche, il ne faut pas s'étonner de la voir boursoufler. Lorsqu'on veut aller trop vite et qu'on ne respecte pas le temps de séchage prescrit par le fabricant, il se peut que l'on doive tout recommencer. La peinture peut sembler suffisamment sèche au toucher alors que, dans les faits, elle ne l'est pas. C'est trompeur. La patience est le meilleur allié.

Si les cloques sont causées par l'humidité, plusieurs facteurs sont à évaluer. D'abord, selon l'endroit où le phénomène se manifeste, il peut s'agir d'un manque de ventilation dans un parement de briques, d'une infiltration d'eau, d'une fuite de plomberie, ou simplement de l'absence d'un extracteur d'air dans les pièces humides comme la cuisine et la salle de bains. Il faut donc corriger le problème à sa source.

 Conseil

Avez-vous déjà peint avec des pinceaux bas de gamme, achetés à prix modique dans les magasins à bas prix ? Parions que l'expérience s'est avérée pénible et peu concluante, avec tous ces poils laissés derrière qui se sont retrouvés emprisonnés dans le fini... On ne le dira jamais assez : quand vient le temps de s'équiper, il vaut mieux opter pour des pinceaux de qualité.

LES PLANCHERS

Le parquet de bois franc

Le vrai, l'authentique, c'est lui. Il est naturel et chaleureux, et ses lames ont généralement une épaisseur de 3/4 po. Cette option ne convient pas pour une installation au sous-sol.

Le parquet d'ingénierie (aussi appelé contrecollé)

Les lames sont constituées d'une âme de contreplaqué ou de fibres à haute densité (HDF) sur laquelle est fixée une couche de bois massif d'une épaisseur de 1/8 po. On peut les coller, les clouer, les agrafer ou opter pour une pose flottante (certains modèles).

Les parquets d'ingénierie et de bois franc sont tous deux offerts sous leur forme brute ou prévernie. L'essence, la couleur et le lustre – mat, semi-lustré, lustré – offerts sont les mêmes pour l'un ou l'autre type de parquet. Vous devrez choisir parmi les grades offerts :

- « sélect et meilleur » pour une couleur plus uniforme ;
- « exclusif » pour une surface tout en nuances ;
- « rustique » pour ses nœuds et sa beauté naturelle.

Le dernier élément à considérer est la largeur des lames : c'est une question de look. À noter que le plancher d'ingénierie peut, comme le parquet massif, être poncé jusqu'à trois fois.

Le stratifié

Plancher stratifié et plancher laminé, c'est du pareil au même, le second terme étant dérivé de l'anglais *laminate*. Ce type de plancher emprunte l'apparence du bois. Il est composé d'un endos mélaminé suivi d'un noyau (âme) en fibres de bois à haute densité sur lequel est fixé le motif décoratif qui, lui, est recouvert d'une couche protectrice transparente.

Un système encliquetable à rainure et à languette facilite son installation. Les planchers en stratifié supportent mieux l'humidité que ceux en bois, mais demeurent sensibles à l'eau. Des ensembles de retouche sont offerts afin d'atténuer les égratignures en surface. La fourchette de prix varie et la qualité des produits aussi. Certains finis au relief plus prononcé sont mieux réussis. Même que, parfois, c'est à s'y méprendre.

▶ Les composantes du plancher

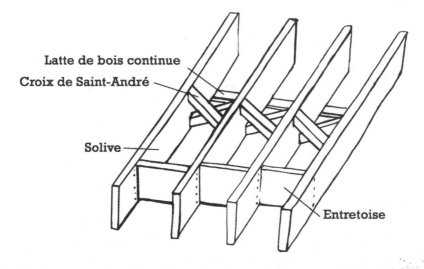

LE PLANCHER – GRINCEMENTS

Pourquoi mon plancher grince-t-il à certains endroits lorsqu'on circule dans la maison?

Généralement, un plancher grince lorsqu'un clou s'est relâché avec le temps et que le sous-plancher (ou le plancher lui-même) n'est plus ancré à la solive.

Lorsqu'on pose le pied en marchant, notre poids fait descendre le revêtement mal fixé, qui revient ensuite à sa position initiale sans manquer de se faire entendre. Le bruit de grincement est produit par le jeu du clou qui glisse dans son trou ou par le frottement des surfaces adjacentes.

Les variations du taux d'humidité relative à l'intérieur d'une maison font de la dilation et de la contraction du bois un phénomène normal, pratiquement inévitable. Or, si un plancher de bois travaille, c'est dans l'ordre des choses que ses attaches et ses fixations prennent du «lousse».

Pour en finir avec les gémissements d'un plancher, il faut solidifier ses ancrages en intervenant idéalement par le dessous pour que rien n'y paraisse. On peut le faire en insérant des cales entre le sous-plancher et la solive d'appui, ou encore en vissant (attention à la longueur de la vis!) à travers le sous-plancher pour que la tige filetée de la vis morde dans la lame de bois franc et la tire vers le bas en la ramenant vers le sous-plancher.

 Conseil

Le talc, semble-t-il, est tout indiqué pour aider à éliminer les bruits de parquet. On suggère aussi d'autres options lubrifiantes comme la poudre de graphite et l'huile minérale. Il suffit d'appliquer le produit aux emplacements bruyants en le faisant pénétrer dans les joints. La solution est intéressante, même s'il est peu probable qu'elle soit efficace à long terme.

L'INSTALLATION D'UN PARQUET

Est-ce que je peux installer mon nouveau plancher de bois franc par-dessus la parqueterie déjà en place ?

On utilise couramment les termes *parqueterie* et *marqueterie*, alors que les deux sont erronés. La parqueterie désigne l'usine où l'on fabrique les parquets, alors que la marqueterie est un ouvrage d'ébénisterie. Son vrai nom est donc le parquet mosaïque (en mosaïque), ou encore le parquet marqueté ou parquet en marqueterie. À noter que *parquet* est un terme réservé aux planchers de bois massif et aux produits dérivés comme les contrecollés.

En ce qui concerne l'installation d'un plancher de bois franc sur un parquet mosaïque existant, les avis sont partagés. Certains affirment qu'il est clair qu'il faut enlever le vieux parquet, alors que d'autres sont plus nuancés. Si votre intention est d'acheter un produit d'ingénierie qui convient à une installation flottante, sans clou ni colle, alors oui, pourquoi pas. Pourvu que le parquet mosaïque, qui deviendra le sous-plancher, soit encore en bon état et que sa surface soit uniforme et de niveau.

Par contre, s'il s'agit d'un plancher en bois massif dont les lames sont clouées ou agrafées, la situation est plus délicate. Car les lattes du parquet mosaïque peuvent voler en éclats ou se décoller au moment de clouer le nouveau plancher.

Gardez en tête que, si vous n'enlevez pas l'ancien revêtement ou que vous décidez de le solidifier en le doublant d'un contreplaqué vissé, vous gagnerez en hauteur. Une différence de hauteur avec les autres planchers sèmera la colère de ceux qui s'y buteront un orteil. De plus, il faut s'assurer que cela ne posera pas problème à l'ouverture des portes et à la jonction de la première marche d'un escalier.

LE PARQUET – GONDOLEMENT

En hiver, l'écart entre les lames du plancher s'accentue, alors qu'en été, on remarque un gondolement de la surface. Le problème découle-t-il d'une mauvaise installation du plancher ?

Les revêtements de plancher en bois n'échappent pas aux variations du taux d'humidité à l'intérieur de nos maisons. L'air en hiver étant généralement plus sec, le bois a tendance à rétrécir, et l'espace entre ses lames, à s'accentuer. En été, c'est le contraire qui se produit. Si l'habitation n'est pas climatisée ou déshumidifiée, l'humidité relative grimpe et les lames prennent de l'expansion. Les joints se referment et le parquet retrouve son apparence «normale».

Pour empêcher les joints d'ouvrir et pour préserver l'uniformité du parquet, la clé du succès est de contrôler le taux d'humidité ambiant, et ce, à partir du moment où les paquets de lames sont livrés et entreposés dans la maison. C'est plus facile à faire aujourd'hui que ce l'était à une certaine époque. Les bâtiments sont maintenant plus hermétiques et ils sont équipés d'échangeurs et d'extracteurs d'air, ainsi que d'appareils de climatisation. Ensemble, l'étanchéité et l'ajout d'équipement permettent d'offrir un meilleur contrôle de l'humidité.

Autrefois, il fallait se méfier des saisons: la pose d'un plancher durant le mois de janvier, alors que le taux d'humidité relative à l'intérieur frôlait à peine les 20%, était risquée. Il ne fallait pas s'étonner de le voir gondoler (onduler, coffrer) l'été suivant. Imaginez maintenant la même installation en juillet, avec un taux à 80%...

On l'a déjà dit: il faut avoir la mainmise sur l'humidité pour éviter que le plancher ne travaille trop. Dans une maison neuve, cela signifie qu'il faut attendre que les travaux de tirage de joints soient terminés et que le plâtre soit bien sec. Cela veut aussi dire que le sous-plancher doit être également au bon taux, comme recommandé par les fabricants de planchers.

LE PLANCHER – FLÉCHISSEMENT

Pour quelle raison la surface du plancher de l'une des pièces de notre maison présente-t-elle un fléchissement et occasionne-t-elle des vibrations lorsqu'on marche?

Il est normal que les planchers fléchissent jusqu'à une certaine limite. Cette limite s'appelle la «flèche». Il s'agit de la déformation (l'affaissement) maximale d'un élément structural sous l'influence d'une charge. Dans le cas d'une structure de plancher dont le dessous est recouvert de panneaux de plâtre ou d'un enduit en plâtre, la flèche ne doit pas dépasser 1/360e de la portée des solives. Ainsi, pour une solive d'une longueur de 12 pieds, la flèche est de 3/8 po.

Il n'y a donc pas matière à s'inquiéter lorsqu'un plancher fléchit en respectant ce critère. De plus, il est possible de corriger la situation, à tout le moins de réduire le fléchissement. Pour ce faire, deux types d'intervention sont préconisés. D'abord, il faut doubler la solive en lui adjoignant une autre solive de la même dimension (technique des solives jumelles). Sinon, il faut ajouter un appui intermédiaire à mi-portée, histoire de répartir les charges qui sont appliquées.

Il est aussi possible d'atténuer les vibrations ressenties dans le plancher en solidarisant les solives. L'ajout de croix de Saint-André et d'entretoises entre celles-ci et de planches de soutien fixées en sous-face aura pour effet d'accroître la rigidité de la structure.

Notez que, en cas de doute sur l'intégrité de la structure et des éléments porteurs, vous ne devriez pas hésiter à faire appel à un ingénieur spécialisé en structure.

LA CÉRAMIQUE

Alors que certains carreaux sont conçus pour une installation au sol, d'autres sont réservés à la pose murale. Les premiers sont beaucoup plus résistants et conviennent tout autant à une composition murale. L'inverse n'est pas vrai.

Bien que semblables en apparence, les carreaux appartiennent à différentes familles. La céramique en est une et elle comprend notamment:

- **La terre cuite** (brute ou émaillée)
  Elle est constituée d'un mélange d'argile et de sable de type monocuisson (cuite une seule fois). Elle est plus poreuse que le grès et doit être traitée contre l'humidité et les taches. La faïence est une terre cuite sur laquelle on évite toutefois de poser les pieds. Elle convient davantage à la pose murale.
- **Le grès** (cérame, émaillé, étiré, etc.)
  Dans le langage courant, on parle plus souvent de carreaux de porcelaine alors que, en réalité, il s'agit de grès cérame. Ce dernier est composé d'une pâte d'argile et de minéraux (le feldspath, entre autres) qui est pressée et cuite à haute température. Le matériau est pratiquement non poreux et très résistant à l'usure. Ses propriétés varient en fonction du procédé de fabrication et des cycles de cuisson. Le grès émaillé, par exemple, reçoit une couche d'émail appliquée à chaud, ce qui fragilise le carreau.

LES CARREAUX FISSURÉS

Est-il possible de remplacer les quelques carreaux qui sont fissurés dans ma cuisine sans refaire l'ensemble de la surface ?

Dans l'entrée, la salle de bains et la cuisine, les planchers carrelés sont à peu près imbattables. D'une part, ils sont esthétiques, et d'autre part, ils sont résistants à l'usure, à la chaleur et à l'eau. Les carreaux sont fixés avec un ciment-colle sur un support généralement en béton ou en contreplaqué.

L'inconvénient d'un carrelage est qu'il ne tolère aucune flexibilité. Il doit donc reposer sur un sous-plancher stable, uniforme et rigide. La qualité de l'ouvrage en dépend. Des panneaux de support posés sur une structure conventionnelle en bois doivent idéalement être renforcés d'une deuxième épaisseur de contreplaqué, et l'ensemble de l'installation doit former une surface parfaitement plane. À noter qu'on trouve sur le marché des membranes spécialisées pouvant remplacer l'ajout d'un deuxième contreplaqué.

Rigidifier le support de pose est donc la première chose à faire pour éviter que les carreaux ne se fissurent. Opter pour des carreaux qui conviennent à une installation au sol fait aussi partie des recommandations. Les carreaux muraux sont plus fragiles et s'endommagent beaucoup plus rapidement. Enfin, il faut aussi s'assurer que le ciment-colle est approprié à la tâche et qu'il recouvre au moins 90 % de l'endos du carreau. S'il n'y a pas suffisamment de ciment-colle sous un carreau, il risque de s'écorner et de se casser.

Un carreau abîmé accidentellement peut être remplacé assez facilement. Il suffit de l'enlever en le brisant au moyen d'un marteau et d'un ciseau à froid, de nettoyer la cavité en enlevant le surplus de ciment-colle et de mortier, puis de coller un nouveau carreau avant de refaire le mortier qui l'entoure.

Est-il possible de poser une nouvelle céramique par-dessus l'ancienne ?

Installer de nouveaux carreaux directement par-dessus un carrelage existant est une pratique courante en rénovation, et plus particulièrement lorsqu'on opte pour des améliorations ciblées, qui visent à rafraîchir une pièce en la remettant au goût du jour sans nécessairement transformer les lieux en chantier.

Si la pose de carreaux sur carreaux est possible, elle est toutefois tributaire de l'état de la surface. Il faut voir dans un carrelage fissuré à plusieurs endroits l'indice d'une problématique comme une faiblesse du sous-plancher ou un manque de rigidité de la structure. Carreler sans corriger la source du problème ne sera d'aucune utilité.

Et, dans la mesure où la surface semble être en bonne condition, il importe de vérifier attentivement l'ancien revêtement et d'être à l'écoute des sons creux susceptibles de se faire entendre lorsqu'on cogne légèrement sur le carreau avec un maillet à tête en caoutchouc. On recolle les vieux carreaux décollés ; on enlève ceux qui sont endommagés et on comble les vides de mortier. On s'assure ainsi que la surface de pose sera solide et bien plane, deux conditions essentielles à la réussite du projet.

L'ESCALIER

L'escalier doit se conformer à des normes très précises... mais la réalité est plus nuancée. La sécurité et la fonctionnalité doivent être à l'avant-plan, mais comme plusieurs rêvent d'un escalier design et sculptural, il se peut que, pour y arriver, on doive contourner certaines des exigences prescrites par le Code de construction du Québec.

Prenons par exemple la grande tendance de l'heure : les garde-corps de style passerelle de bateau, à lisses horizontales (barreaudage horizontal). Ils ne sont ni conformes ni sécuritaires, car les enfants peuvent s'en servir comme échelon : le Code les interdit. Quant aux barreaux verticaux, ils doivent être écartés de sorte qu'un objet sphérique de 4 po de diamètre ne puisse s'introduire dans l'espace.

La main courante est souvent absente, surtout dans la descente qui mène au sous-sol, le passage étant souvent jugé comme trop étroit. Pourtant, elle est indispensable dès que l'escalier compte plus de deux contremarches. Les contremarches, quant à elles, doivent être de la même hauteur, ce qui n'est pas toujours le cas de la première marche, qui est souvent moins haute que les autres en raison de l'épaisseur du revêtement de sol.

Les escaliers à limon central sont aussi très populaires et, bien qu'ils ne dérogent pas aux normes, les modèles à concept ouvert (sans contremarches) s'avèrent peu sécuritaires pour les jeunes enfants.

Garde-corps, main courante et contremarches ne sont pas les seuls éléments à devoir répondre aux normes. Les nez-de-marche, l'emmarchement (giron), les paliers et l'échappée (distance entre la marche et le plafond) font aussi l'objet de mesures à respecter.

10

GARAGE

ZOOM SUR...

LE MONOXYDE DE CARBONE

Le monoxyde de carbone (CO) est un sous-produit de la combustion. C'est un gaz incolore et inodore qui, lorsqu'il s'infiltre à l'intérieur de la maison, constitue un réel danger pour la santé des occupants. Ce poison s'accumule rapidement dans le sang, où il se fixe aux globules rouges (hémoglobine), affectant sa capacité à transporter de l'oxygène.

Les symptômes d'une intoxication, dans le cas d'une faible exposition, s'apparentent à ceux de la grippe. On parle de maux de tête, de nausées et de fatigue. Il faut voir dans les vertiges, les palpitations (tachycardie), les troubles de la vision et les difficultés de concentration des signes d'une exposition chronique (faible mais étalée dans le temps). Enfin, un empoisonnement aigu se manifeste par des convulsions ainsi qu'une perte de conscience et peut s'avérer fatal.

Il importe de prendre les mesures nécessaires pour empêcher le monoxyde de s'infiltrer à l'intérieur de la maison. D'abord, il faut toujours ouvrir la porte du garage avant de démarrer le véhicule, et le véhicule doit aussitôt être conduit à l'extérieur. Il ne faut surtout pas utiliser le démarreur à distance, même si la porte est ouverte.

L'installation d'un avertisseur de monoxyde de carbone fait aussi partie des mesures de sécurité à prendre. D'ailleurs, certaines municipalités l'obligent, qu'on range la voiture dans le garage ou non. La plupart des modèles activent une alarme lorsque la concentration de CO atteint un certain seuil (établi selon des normes). Les avertisseurs fonctionnant avec des piles sont pratiques, parce qu'on peut les installer à l'endroit de notre choix. On installe l'avertisseur non pas dans le garage, mais à l'intérieur de la maison, plus précisément entre l'espace garage et les chambres à coucher.

LE CHAUFFAGE

Doit-on chauffer un garage attenant en hiver?

Le chauffage est absent de la plupart des garages attenants à une maison. On chauffe généralement le garage lorsqu'une partie de l'espace est aménagée en atelier afin de pouvoir vaquer à ses occupations tout en étant confortable.

Le garage doit pouvoir compter sur un appareil de chauffage indépendant. Il n'est pas permis de le chauffer avec le système à air pulsé utilisé pour la distribution de l'air chaud dans toutes les pièces de la maison. C'est une porte d'entrée trop facile pour le monoxyde.

Pour le chauffage occasionnel du garage, les propriétaires se tournent vers des appareils de chauffage d'appoint comme les chaufferettes portatives, qui permettent d'élever la température des lieux de quelques degrés pendant quelques heures. Ces appareils peu puissants ne sont pas destinés à un usage permanent et ne doivent pas être utilisés à cette fin. On trouve sur le marché d'autres types d'appareils plus appropriés. Parmi eux, l'aéroconvecteur de plafond (système de chauffage à air ventilé) est peu encombrant puisqu'il est installé au plafond. Il est constitué d'un boîtier métallique muni d'un ventilateur et d'un élément chauffant. Il est plus cher, plus performant, mais aussi permanent. On programme l'appareil afin qu'il maintienne la température autour de 8 à 10 °C, tout au plus.

Avec les normes en vigueur en matière d'efficacité énergétique, les garages attenants aux nouvelles constructions profitent maintenant d'une bonne isolation, mais ce n'est pas toujours le cas pour les bâtiments plus âgés. Chauffer un garage peu ou pas isolé n'est pas vraiment rentable. Si l'on souhaite garder l'espace au chaud, il faudra d'abord songer à mieux l'isoler et à investir dans une porte de garage de qualité, qui est étanche et bien isolée.

L'HUMIDITÉ

Comment venir à bout de l'humidité qui règne à l'intérieur de notre garage chauffé durant l'hiver?

On ne s'en rend pas compte, mais chaque fois qu'on entre dans le garage pour y garer sa voiture en hiver, on y introduit par la même occasion une certaine quantité de neige, qui finira inévitablement par former une petite flaque d'eau sur le sol avant de s'évaporer dans l'air. Et lorsqu'un garage est chaud, on a l'impression que l'air ambiant est moins humide, alors qu'en réalité, on augmente simplement sa capacité à contenir de la vapeur d'eau. Plus l'air est chaud, plus il peut en contenir. Si vous abaissez de quelques degrés la température d'un garage chauffé, vous verrez le taux d'humidité relative grimper considérablement, jusqu'à rendre les lieux inconfortables.

Pour en finir avec un garage humide, vous avez besoin d'un déshumidificateur ou d'un extracteur d'air (indépendant de la maison). Certains modèles sont munis d'un hygromètre intégré afin que l'appareil se mette automatiquement en marche dès que le taux d'humidité ambiant est trop élevé. Certains modèles d'extracteur d'air sont aussi munis d'un hygromètre, et ils permettent d'évacuer l'air humide et vicié du garage; l'apport d'air frais est assuré par une grille d'entrée d'air.

L'ÉTANCHÉITÉ : QUAND LE GARAGE Y DÉROGE

Pour plusieurs propriétaires, une maison sans garage est impensable. On y aménage un atelier, on y entrepose des biens ainsi que les vélos des enfants, et on y stationne la voiture en hiver. On prend vite goût à ce petit luxe qui nous évite d'avoir à déneiger le véhicule à la moindre bordée de neige, ou d'attendre que l'habitacle se réchauffe un peu avant de partir.

Lorsque le garage est attenant à la maison, il doit satisfaire aux exigences du Code, notamment en ce qui a trait à la sécurité. La plus importante concerne l'étanchéité à l'air. Les murs et le plafond qui séparent le garage de l'aire habitable doivent faire obstacle aux émanations et aux gaz d'échappement, qui représentent un véritable danger lorsqu'ils s'infiltrent sournoisement à l'intérieur.

C'est pourquoi l'aspirateur central n'y a pas sa place. Pourquoi ? Parce qu'il est lié à des conduits pouvant transporter des émanations nocives pour la santé des occupants.

Qu'en est-il de la porte permettant d'accéder à la maison ? Il faut s'assurer qu'elle est bien hermétique lorsqu'elle est fermée ; son pourtour doit par conséquent être muni d'une garniture d'étanchéité et de charnières à fermeture automatique, de sorte qu'elle puisse se refermer chaque fois qu'on la franchit.

11

À L'EXTÉRIEUR

LES PERMIS DE LA MUNICIPALITÉ

Tous les travaux, petits ou gros, intérieurs ou extérieurs, comme la construction d'un cabanon ou d'une terrasse attenante à la maison, doivent être préalablement approuvés par la municipalité. En effet, un permis peut s'avérer nécessaire et, dans l'affirmative, on vous indiquera les documents à fournir (plan, contrat avec l'entrepreneur, etc.) afin qu'il soit délivré.

Car les municipalités sont responsables de veiller à ce que les exigences du Code de construction soient respectées. Toutefois, la réglementation municipale est souvent plus «restrictive» que les normes prescrites par le Code, qui ne constituent qu'un minimum. Les villes peuvent donc imposer des normes supérieures et légiférer sur ce que le Code ne prévoit pas. Par exemple, pour assurer l'uniformité d'un quartier, la Ville peut limiter l'usage de certains revêtements et matériaux et régir les techniques d'assemblage. En matière de bruits et de sécurité incendie, elle fait aussi la loi.

 Conseil

Le permis, il ne faut pas seulement y voir, mais il faut aussi le voir! Dès l'ouverture du chantier, on s'assure qu'il est bien visible de la rue et qu'il le demeure jusqu'à la fin des travaux.

LES TERRASSES

Peut-on simplement déposer une terrasse sur le sol, ou doit-on l'ériger sur des fondations, à l'abri du gel ?

L'obtention d'un permis en bonne et due forme est généralement nécessaire à la construction d'une terrasse. C'est pourquoi la première chose à faire est de communiquer avec le service d'urbanisme de votre municipalité afin de connaître la réglementation en vigueur.

Il vaut mieux partir du bon pied en s'assurant de la conformité de l'ouvrage plutôt que d'avoir à recommencer les travaux parce qu'ils dérogent aux normes.

Ainsi, l'aménagement d'une terrasse doit répondre à certaines exigences, lesquelles varient d'une municipalité à l'autre. Par exemple, la superficie est déterminée selon les dimensions du terrain ; l'emplacement et les marges de recul prescrites doivent être respectés ; certains matériaux sont interdits ; et divers autres éléments en lien avec la sécurité, comme la hauteur des marches et des garde-corps, sont aussi réglementés.

À moins que des dispositions particulières soient prévues par la loi, le choix du type de fondation est souvent laissé à la discrétion du propriétaire. Il faut savoir qu'un bon appui est indispensable ; l'ouvrage sera plus stable et il durera aussi plus longtemps. Un propriétaire doit opter pour une fondation enfouie sous la ligne de gel ou pour une installation autoportante (aussi appelée flottante). La première option implique la présence de piliers en béton coulé avec ou sans semelle, ainsi que des pieux vissés. Les piliers comportant une semelle offrent davantage de stabilité et représentent le meilleur choix, mais puisque leur construction est plus complexe, ils sont rarement utilisés.

Dans le cas d'une installation «flottante», des blocs de béton servent d'assise à la terrasse. La partie supérieure des blocs est moulée de sorte à recevoir les pièces structurales (poteaux ou solives). On trouve aussi des blocs munis d'étriers réglables facilitant les différents ajustements en hauteur. Et comme une construction autoportante est à la merci des mouvements du sol sur lequel elle repose, il est préférable qu'elle ne soit pas ancrée à la maison.

Cette décision dépend donc des caractéristiques du sol de la propriété, notamment de sa granularité, de sa teneur en eau et de sa capacité à retenir l'eau. On a déjà vu des terrasses se relever de 6 po à la suite d'un cycle de gel-dégel. Les sols silteux, argileux et limoneux s'inscrivent parmi les plus sensibles. En leur présence, on recommande que les fondations siègent sous la ligne de gel, soit à une profondeur de 5 pieds ou plus.

Lorsque le sol est beaucoup plus stable et qu'il ne bouge pas, les blocs pour terrasse posés sur un lit de gravier constituent alors une option économique et valable.

 Conseil

Avant de creuser, il faut être absolument certain qu'aucun câble électrique, canalisation d'égout, conduite de gaz ou autre installation ne se trouve dans la zone à excaver. Pour vous en assurer, communiquez avec Info-Excavation (info-ex.com), un service en ligne gratuit ayant pour objectif d'aider les entrepreneurs et les particuliers à localiser les infrastructures souterraines.

L'ENTRÉE ASPHALTÉE

Peut-on simplement réparer les fissures et les trous présents dans une surface asphaltée ?

La durée de vie de l'asphalte est évaluée à tout au plus 20 ans, et ce, à la condition d'effectuer un entretien régulier. Les cycles de gel-dégel, l'ensoleillement et les intempéries ne la ménagent pas. On est d'ailleurs à même de le constater sur nos réseaux routiers! Heureusement, nos entrées sont moins achalandées, ce qui ne veut pas dire qu'elles sont pour autant à l'abri de tels dommages.

Une entrée d'asphalte est composée d'une sous-couche de gravier compactée (qu'on appelle la fondation) sur laquelle est étendue une couche chaude asphaltée (un mélange de bitume et de granulat). Le soin apporté à la préparation de la fondation déterminera la durabilité du revêtement. Les défauts ne manqueront pas de faire surface si le travail a été bâclé et que les pentes n'ont pas été respectées. C'est particulièrement vrai en présence d'un sol argileux, pour lequel on recommande l'ajout d'une toile géotextile et l'application d'une couche de gravier plus épaisse.

Pour minimiser les risques de dommages et pour faire en sorte que l'asphalte dure plus longtemps, il faut repérer les fissures, car elles constituent des points faibles par où l'eau est sujette à s'infiltrer. L'application d'un scellant dans le but de rafraîchir la surface sans d'abord faire les réparations qui s'imposent est donc inutile. Il faut d'abord colmater les petites fissures au moyen d'un enduit à base de bitume et de caoutchouc. Les trous et les plus grosses fissures (d'une longueur/largeur de 3/4 po et plus) sont rapiécés avec un mélange d'asphalte froid. Une fois les réparations terminées, on peut surfacer de nouveau. Cependant, si les dommages sont plus sérieux, c'est-à-dire que la surface asphaltée se détache en plaques, il vaut mieux faire affaire avec une entreprise spécialisée.

LA CLÔTURE

Comment déterminer à qui appartient la clôture qui sépare ma propriété de celle de mon voisin?

Une clôture située entre deux terrains adjacents peut être mitoyenne, ou appartenir à l'un des deux voisins. Pour le savoir, il suffit de consulter le certificat de localisation sur lequel l'arpenteur-géomètre a indiqué l'emplacement exact de la clôture. Si celle-ci est à l'intérieur des limites du terrain voisin, vous n'en êtes pas propriétaire. Si elle chevauche la ligne divisant les lots, elle est mitoyenne; la responsabilité quant à son entretien, à sa réparation et à son remplacement est partagée. Les frais engagés incombent donc à chacun des partis.

Des guerres ouvertes entre voisins pour des histoires de clôtures, c'est du déjà vu. Ce n'est pas pour rien qu'on utilise l'expression «chicane de clôture», qui prend ici tout son sens. Si la clôture est mitoyenne et que votre voisin s'entête à vouloir la remplacer alors que vous jugez qu'il suffirait de la réparer, vous devez idéalement trouver un terrain d'entente. Si les hostilités sont ouvertes et que les négociations ne mènent à rien, vous devez vous adresser à la cour; votre voisin devra alors faire la preuve de la nécessité de changer la clôture.

Autre scénario. Votre voisin est propriétaire de la clôture, qui est défraîchie ou en mauvais état. Vous aimeriez qu'il intervienne, mais il fait la sourde oreille. Vous ne pouvez donc pas le contraindre à repeindre sa clôture, car il ne s'agit que d'une question d'esthétisme. Vous pouvez repeindre «votre côté» de la clôture, dans la mesure où vous obtenez son autorisation au préalable, bien entendu, et que vous assumez la totalité des frais liés à cette démarche. Car dans un tel cas, vous ne pouvez pas le forcer à payer les frais encourus. L'autre option permettant de cacher l'horreur est de faire construire votre propre clôture dans les limites de votre terrain.

Par contre, si la clôture en place ne semble pas sécuritaire, c'est-à-dire qu'elle penche «dangereusement» de votre côté, ou qu'elle empiète sur votre terrain – un empiétement aérien –, vous pouvez exiger que votre voisin la rende conforme. Il est donc de sa responsabilité de la rénover et de la sécuriser; en cas de refus de sa part, il faudra vous adresser aux tribunaux.

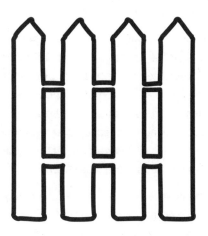

LA PISCINE : ATTENTION DANGER !

En juillet 2010, le gouvernement du Québec, de concert avec les munici-palités, adoptait le Règlement sur la sécurité des piscines résidentielles. L'objectif? Augmenter la sécurité des piscines afin de réduire les risques de noyade, plus particulièrement chez les enfants en bas âge.

À noter que les piscines existantes, dont l'installation est antérieure à juil-let 2010, ne sont pas visées par le règlement. Toutefois, les propriétaires qui désirent faire l'acquisition d'une nouvelle piscine ou qui s'apprêtent à remplacer une vieille installation devront au préalable faire une demande de permis auprès des autorités municipales et prendre les mesures néces-saires pour se conformer aux exigences. Car les municipalités ont pour mandat de s'assurer que les règles sont respectées. Elles ont aussi le plein pouvoir d'édicter des normes encore plus sévères.

De plus, la Loi sur la sécurité des piscines exige qu'un contrôle de l'accès à la piscine soit prévu. Le propriétaire a donc notamment l'obligation d'ériger une enceinte d'une hauteur réglementaire, dont la conception ne permet pas à un enfant de la franchir, en plus d'installer un dispositif de sécurité sur la porte et d'assurer le respect des distances minimales déterminant l'emplacement de l'équipement indispensable au fonctionnement de la piscine. Pour connaître tous les détails de cette réglementation, consultez le lien suivant: http://www2.publicationsduquebec.gouv.qc.ca/dynamic-Search/telecharge.php?type=2&file=/S_3_1_02/S3_1_02.html

LES ARBRES – DÉBORDEMENT

Ai-je le droit de couper les branches ainsi que les racines d'un arbre planté sur le terrain de mon voisin mais qui déborde dans ma cour ?

Ce n'est pas parce qu'elles s'avancent sur votre terrain que vous avez le droit de couper les branches et les racines d'un arbre planté sur une propriété voisine. Avant même de penser à sortir l'échelle et la scie, il vous faudra d'abord parler à votre voisin, lui faire part de vos intentions et lui demander sa permission. S'il vous autorise à le faire, tant mieux, mais sachez qu'il peut aussi vous le refuser, au risque de vous mettre en furie !

Avant d'aller plus loin dans vos démarches, demandez-vous si vos raisons sont valables. Êtes-vous contrarié parce que les branches créent de l'ombre au-dessus de votre nouveau patio, ou parce que les feuilles tombent dans votre piscine ? Est-ce plutôt parce qu'elles frottent sur la toiture de votre cabanon et qu'elles en abîment le revêtement ? Est-ce parce que votre clôture ou un conduit souterrain sont sous l'emprise des racines ?

Si vous souhaitez vous adresser à la cour afin d'obliger votre voisin à couper les branches et les racines qui vous embêtent, vous devrez présenter un motif valable et sérieux, et faire la preuve que ces dernières sont nuisibles à votre propriété. Dans tous les cas, vous ne pourrez pas vous faire justice vous-même. Ce sera au tribunal de trancher.

LES ARBRES – ABATTAGE

Dois-je aviser ma municipalité si je veux abattre un arbre malade sur mon terrain ?

En ville comme à la campagne, les arbres font partie de nos paysages. Vous avez beau être le propriétaire de tous les arbres plantés sur votre propriété, vous devrez demander la permission de les abattre à votre municipalité. Cette consigne est valable pour tous les arbres ayant atteint certaines dimensions (hauteur et diamètre du tronc), lesquelles sont établies par la municipalité. À défaut de vous y conformer, et advenant que vous soyez pris en flagrant délit – dénoncé par un voisin alerté par le bruit de la scie à chaîne! –, vous pourriez avoir à payer une amende salée.

Évidemment, si l'arbre est malade ou s'il a été atteint par la foudre et qu'il menace de tomber, vous ne devriez pas avoir de la difficulté à obtenir un certificat d'autorisation. Par contre, si c'est pour pouvoir profiter d'un peu d'ensoleillement ou pour jouir d'une meilleure vue sur un paysage lacustre, il ne faut pas vous étonner que votre demande soit refusée.

Sachez enfin que, si vos arbres dépérissent à la suite d'une infestation – on pense notamment à l'agrile du frêne, qui fait présentement des ravages –, il est probable qu'on vous demande d'attendre avant de procéder à l'abattage. Afin d'éviter la propagation du ravageur, il ne vous sera pas permis de toucher à l'arbre alors que l'insecte est en phase adulte (soit de la mi-mars au mois d'octobre).

LES ARBRES ET LES FONDATIONS DE LA MAISON

Lorsqu'un arbre est planté trop près d'un immeuble, ses racines sont sujettes à endommager les drains, ainsi qu'à causer l'affaissement et la fissuration des fondations. En période de sécheresse et en présence d'un sol argileux, les dommages peuvent être encore plus importants. Dans leur quête d'eau, les racines contribuent aussi à l'assèchement du sol.

Au moment de choisir un arbre pour le planter sur notre propriété, on s'attarde rarement aux dommages potentiels qu'il peut causer. En effet, on l'achète généralement alors qu'il n'est pas plus haut que trois pommes. Bien sûr, on conçoit qu'un jour il sera grand, voire très grand, mais il peut aussi devenir trop grand!

Choisir l'arbre qui nous convient exige une certaine planification. On ne se lève pas un matin avec l'idée en tête de planter un arbre, pour ensuite se rendre dans une pépinière afin de mettre la main sur le premier spécimen qui attire notre attention. Quelles sont les raisons qui vous motivent à planter un arbre? Créer une zone ombragée, favoriser l'intimité ou protéger la résidence des vents? Quel emplacement avez-vous prévu pour sa plantation? Quelles sont les conditions d'ensoleillement à cet endroit?

Vous devrez répondre à ces questions avant de faire votre choix. Il est également recommandé de communiquer avec la municipalité, qui peut imposer certaines restrictions quant au choix de l'arbre et au lieu de sa plantation (qui devra être suffisamment éloigné des infrastructures du bâtiment).

▶ Le système racinaire d'un arbre

Hauteur à maturité

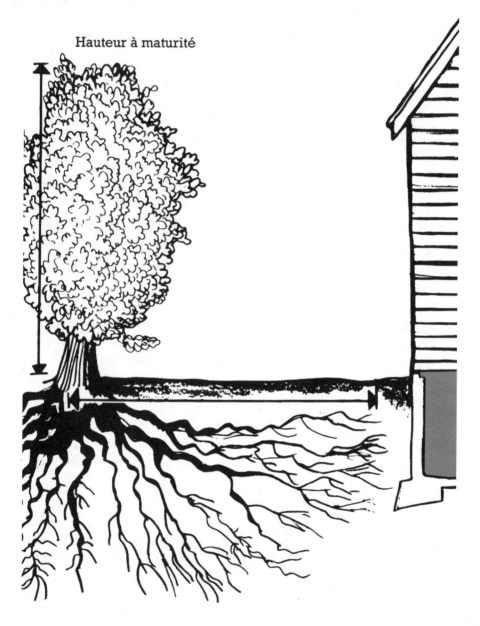

LA VIGNE SUR UNE MAISON

J'ai envie de faire pousser de la vigne sur les murs de ma maison pour lui donner un air de manoir anglais. Est-ce vrai que j'expose ainsi ma maison à l'infestation d'insectes ?

Les avis en ce qui a trait aux vignes sont partagés. On peut avoir des réserves à végétaliser la surface de nos murs, mais on reste rarement insensible aux charmes d'une façade en maçonnerie parée de verdure. Les liens tissés entre la nature et le patrimoine bâti ont quelque chose de rassurant, particulièrement en milieu urbain.

Ceux qui s'opposent à l'utilisation de plantes grimpantes affirment principale-ment qu'elles endommagent les murs, qu'elles gardent les surfaces humides et qu'elles attirent les insectes comme les araignées rouges et les fourmis. Elles cachent aussi l'état réel du mur sur lequel elles s'agrippent.

Ceux qui sont favorables à leur présence disent que la végétation agit comme un bouclier, protégeant notamment les surfaces qu'elle recouvre contre la pluie, les rayons UV et les écarts journaliers de température. Un mur végétalisé aurait en outre l'avantage d'absorber l'humidité, d'atténuer les bruits et de filtrer les polluants.

Qu'on soit pour ou contre, il est important de distinguer les différentes plantes grimpantes. Il y a celles qui s'élèvent en s'enroulant autour d'un support (les plantes à tiges volubiles), et celles qui n'ont pas besoin d'appui pour croître. Elles s'ancrent donc d'elles-mêmes aux surfaces grâce à leurs racines-crampons ou à leurs ventouses. Ces dernières sont plus sujettes à abîmer les murs, à tout le moins d'accélérer la dégradation des surfaces fragilisées par l'usure (mortier friable, crépi qui se détache).

Si votre intention est de laisser la verdure monter le long d'un mur en maçonnerie ou enduit de crépi, assurez-vous qu'il ne présente pas déjà des problèmes
d'humidité, que les joints de mortier ne s'effritent pas et que l'ensemble de la surface est en bon état. Faites ensuite un entretien régulier en coupant les pousses
envahissantes qui s'approchent trop près des fenêtres et des gouttières.

LE DRAINAGE DU TERRAIN

Comment améliorer le drainage de mon terrain si l'eau a tendance à s'accumuler lors d'averses ?

En ce qui a trait au drainage, certaines obligations et recommandations doivent être respectées. Les trois plus importantes ont comme but commun d'éloigner l'eau du bâtiment afin de le préserver des problèmes d'humidité. La base d'un bon drainage est assurée par la pente du terrain, qui doit diriger l'eau en direction opposée au bâtiment, par les descentes de gouttières, qui ne doivent pas déverser l'eau au pied des fondations, et par un drain fonctionnel, situé à la hauteur des semelles de la fondation.

Si votre propriété ne présente pas d'indice d'un mauvais drainage et que c'est seulement au cours d'épisodes de pluie ainsi qu'à la fonte des neiges que l'eau s'accumule à certains endroits, quelques solutions intéressantes s'offrent à vous pour mieux gérer les eaux pluviales et de ruissellement.

Parmi celles-ci :

- l'aménagement d'un jardin pluvial, d'un ruisseau sec ou d'un puits sec (aussi connu sous le nom de puits perdu) ;
- l'installation d'un système de récupération d'eau de pluie lié au système de gouttières.

Dans les villes, les eaux pluviales et les eaux de ruissellement sont acheminées vers les infrastructures municipales, qui peinent parfois à suffire à la demande. Une situation qui ne risque pas de s'améliorer de sitôt, non seulement en raison des changements climatiques, mais aussi parce que la superficie des sols perméables – qui absorbent l'eau – diminue constamment au profit de surfaces imperméables (toitures de maison, rues, trottoirs, allées et stationnements pavés, etc.) qui, elles, redirigent l'eau vers les égouts.

LE JARDIN PLUVIAL

Qu'est-ce qu'un jardin pluvial et comment celui-ci me permettra-t-il de régler les problèmes de drainage de mon terrain ?

Le jardin pluvial, aussi appelé jardin de pluie, est une solution fort pratique et facile à mettre en place lorsqu'on veut améliorer le drainage des sols. C'est une façon écologique de participer à la gestion des eaux pluviales et de ruissellement. En milieu naturel, l'eau de pluie s'infiltre lentement dans le sol ; une partie est consommée par la végétation, et l'autre rejoint la nappe d'eau souterraine. C'est ce principe que le jardin pluvial tend à reproduire.

Un jardin pluvial est une légère dépression du sol placée sur le parcours emprunté naturellement par l'eau qui ruisselle. Il peut être constitué d'un lit de pierres (communément appelé puits sec), mais il peut aussi être composé de pierres et de végétaux. Un tel aménagement a pour fonction d'intercepter l'eau dans sa descente vers les égouts. L'eau ainsi captée percole lentement dans le sol, où elle sera en partie puisée par les racines des plantes, qui en ont besoin pour croître.

Le jardin pluvial doit être situé à une quinzaine de pieds de la maison, et il ne convient pas à tous les types de sol. Par exemple, comme un sol argileux se draine mal, vous devrez d'abord y ajouter du sable et du gravier afin d'augmenter sa perméabilité. De plus, si le jardin est à l'ombre la majorité du temps, évitez de sélectionner des plantes nécessitant beaucoup d'ensoleillement. Enfin, notez qu'un jardin pluvial bien conçu doit s'assécher en deux jours ou moins.

▶ Le jardin pluvial

Terreau

Pierre ou végétation, rigole ou tuyau, sur une distance d'au moins 5 pi

Gravier

Tuyau de sortie perforé

12

TRAVAUX DE RÉNOVATION ET D'ENTRETIEN

LES VICES CACHÉS (ET PAS LES VIS CACHÉES!)

Pour être qualifié de caché, un vice doit répondre à quatre critères. Il doit être:

- présent avant la vente;
- grave;
- inconnu de l'acheteur;
- non apparent.

Par exemple, une maison construite sur un remblai contenant de la pyrite est un vice présent avant la vente. Le vice est donc là depuis toujours et il est latent; il ne se manifestera que lorsque certaines conditions seront réunies (eau et humidité). Lorsque la réaction chimique survient, le remblai gonfle, entraînant le soulèvement et la fissuration de la dalle. La pyrite, introduite au moment de la construction du bâtiment, est donc un vice caché.

À la notion d'antériorité du vice s'ajoute la gravité. Les dommages causés par un remblai pyriteux peuvent être considérables. Et les frais qu'il faudra engager pour régler le problème sont tout aussi importants. La gravité d'un vice répond le plus souvent à des critères strictement financiers. Par exemple, lors d'un problème de moisissures, la santé des occupants peut être affectée, mais le véritable débat se fera autour des coûts relatifs à la décontamination.

Mentionnons que plus le vice est grave, plus les demandeurs auront tendance à réclamer l'annulation de la vente. À la gravité du vice, il faudra aussi ajouter le temps nécessaire pour réparer le problème. Si les travaux correctifs font en sorte que l'acheteur ne peut habiter la maison qu'il vient d'acquérir pour les neuf ou dix prochains mois, c'est un facteur supplémentaire à prendre en considération.

Que le vice soit connu ou non du vendeur ne constitue pas un critère. Il faut cependant qu'il soit inconnu de l'acheteur. Lorsque le vendeur fait mention d'un problème dans la déclaration du vendeur – ce qui est obligatoire depuis le 1er juillet 2012 –, l'acheteur décidant de poursuivre le vendeur pour un vice caché verra sa cause rejetée, le problème ayant été dévoilé avant la vente. S'il est dit ou écrit que la toiture coule, mais qu'on n'en connaît pas la source et que l'acheteur décide tout de même de conclure la transaction sans investiguer davantage, il a donc acheté en toute connaissance de cause.

Un vice non apparent (caché!) est celui qui mène le plus souvent à un procès. S'il y a l'indice d'une problématique – un cerne au plafond, par exemple, qui indique que le toit coule ou que l'eau s'infiltre quelque part – et que personne n'est monté sur le toit ou dans l'entretoit pour vérifier la provenance de l'infiltration, le vice ne pourra être considéré comme caché dans la mesure où il y avait là un indice visible qui aurait pu (dû) être constaté par un acheteur prudent et diligent.

 Conseil

Lorsqu'on découvre un vice, la première chose à faire est de le dénoncer par écrit au vendeur dans un délai raisonnable (entre 0 et 6 mois) et d'inviter celui-ci à venir le constater (à moins qu'il ne s'agisse de travaux urgents comme un bris de plomberie), parce qu'il est possible que sa responsabilité soit engagée.

LA VALEUR DE REVENTE

Quels sont les travaux de rénovation offrant le meilleur rendement ?

C'est d'abord pour les besoins de sa propre famille que l'on entreprend de réno-ver sa maison. Cependant, il vaut toujours mieux le faire en pensant aux autres, c'est-à-dire aux futurs propriétaires, parce que le jour de la revente est inévi-table. Et lorsque ce jour viendra, parions que vous voudrez récupérer en partie l'argent investi dans les travaux.

La Société canadienne d'hypothèques et de logement (SCHL) fait la distinction entre trois types de travaux. Il y a d'abord les incontournables, qui sont compris dans une liste de réparations et de travaux d'entretien qui sont difficiles à éluder et qui ont pour objectif de protéger la maison ; ces améliorations sont considé-rées comme un investissement. Avouez qu'on ne reste jamais longtemps les bras croisés à attendre quand le toit coule...

Puis, il y a les travaux utiles, qui visent à améliorer le rendement énergétique, à réduire la facture de chauffage et à rendre la maison plus confortable. Les travaux d'isolation et le remplacement de vieilles fenêtres coulissantes pour des modèles à battant sont du nombre.

Enfin, il y a les rénovations entreprises pour améliorer l'apparence extérieure du bâtiment ou pour rendre l'intérieur plus attrayant et fonctionnel. Non seulement elles facilitent notre vie au quotidien, mais elles y ajoutent aussi de l'agrément. Une cuisine revue et corrigée, l'ajout d'une terrasse attenante à la salle à man-ger, l'aménagement d'un cinéma maison ou d'une salle d'exercice au sous-sol en font partie.

Une rénovation peut être rentable, peu importe la catégorie à laquelle elle se rattache. Peindre un revêtement extérieur en bois défraîchi peut facilement transformer l'allure d'une maison et contribuer à faire meilleure impression auprès d'éventuels acheteurs. Savoir que le revêtement de la toiture a été refait ou que les fenêtres ont été remplacées récemment est tout aussi rassurant pour un futur propriétaire.

Par contre, on peut facilement perdre à trop vouloir en faire. Dépenser une fortune pour aménager le nec plus ultra des cuisines dans un petit bungalow situé dans un quartier peuplé de propriétés toutes aussi semblables les unes que les autres n'est pas a priori le genre d'investissement qui rapporte. Par contre, la construction d'un nouveau garage, lorsque la maison est la seule du voisinage qui n'en possède pas, semble plus profitable.

Voici quelques statistiques publiées par l'Institut canadien des évaluateurs.

La cuisine et la salle de bains figurent parmi les rénovations les plus rentables, c'est-à-dire qu'on peut s'attendre à un taux de récupération sur l'investissement avoisinant les 75 %. Même chose en ce qui concerne les travaux de décoration intérieure.

La peinture extérieure et le remplacement des revêtements de sol suivent, avec des taux respectifs de 65 et 62 %. Ils appartiennent à la catégorie des rénovations à rendement moyen, tout comme l'aménagement du sous-sol. Contrairement à ce que l'on serait tenté de croire, l'ajout d'une piscine ne fait pas l'unanimité auprès des propriétaires. Le taux de récupération est plutôt faible, soit entre 15 et 25 %. L'achat d'un spa semble s'avérer plus vendeur.

LES SUBVENTIONS

Comment savoir si je suis admissible à recevoir des subventions pour les rénovations effectuées?

Avant d'entamer vos travaux de rénovation, consultez les différents sites gouvernementaux ainsi que ceux des autres organismes pour savoir si vous avez droit à de l'aide financière qui vous aidera à amortir les frais engagés.

Bon an, mal an, des programmes d'aide financière sont offerts par les deux paliers de gouvernements. Ils durent un temps, parfois deux ou trois ans, puis ils disparaissent pour faire place à de nouveaux programmes. Les rénovations effectuées doivent figurer parmi une liste de rénovations admissibles. Par exemple, si le programme vise l'amélioration de l'efficacité énergétique du bâtiment, vous pouvez réclamer une subvention pour effectuer des travaux d'isolation extérieure, mais le remplacement du revêtement sera exclu. De même, pour être admissibles, les travaux doivent avoir été confiés à un entrepreneur qualifié et contracté à l'intérieur des délais prescrits.

Des subventions sont également offertes par le biais de programmes municipaux, qui sont financés en partie par le gouvernement provincial. Les grandes villes proposent ainsi différentes formes d'aide aux propriétaires-occupants, parfois réservées aux ménages à faible revenu ou encore pour des travaux d'envergure et coûteux, comme la stabilisation des fondations. Et faites vos recherches, car l'arrivée d'une nouvelle administration ou un changement de gouvernement peut, selon la priorité des élus, signifier l'abolition d'un programme de subventions et, parfois, seulement quelques jours d'avis sont donnés.

Notez enfin que, selon la nature des travaux à effectuer, vous pourriez vous qualifier à l'un des programmes d'aide financière proposés par la Société d'habitation du Québec, le Bureau de l'efficacité et de l'innovation énergétiques (ministère de l'Énergie et des Ressources naturelles), Hydro-Québec et Gaz Métro.

L'ENTREPRENEUR

Mon beau-frère m'offre ses services... mais j'aimerais mieux embaucher un entrepreneur! Comment trouver la perle rare qui possède toutes les compétences?

Échéanciers qui s'étirent, travaux non conformes, chantier abandonné en cours de route... Des histoires de rénovations qui tournent au cauchemar, il y en a beaucoup! D'ailleurs, de nombreuses émissions télévisées diffusées sur les chaînes spécialisées abordent le sujet. On a probablement tous déjà entendu un ami, un collègue de travail ou un voisin raconter ses «péripéties de chantier». Peut-être avez-vous personnellement vécu les hauts et les bas de la rénovation. Le sachant, vous comprenez maintenant que la clé de la réussite d'un projet de rénovation est de pouvoir compter sur un entrepreneur qualifié et compétent, et espérer que la bonne entente est au rendez-vous pour toute la durée des travaux.

De bonnes références transmises par une connaissance constituent une carte de visite intéressante. Pour trouver l'entrepreneur qu'il vous faut, vous pouvez également consulter le répertoire (Réno-maître) des entrepreneurs de l'Association des professionnels de la construction et de l'habitation du Québec (APCHQ), ou encore le carnet des entreprises recommandées par CAA Québec – Habitation.

Réno-assistance est un autre service en ligne, personnalisé, impartial et gratuit, qui a pour mission d'aider les propriétaires à trouver un entrepreneur de confiance en fonction du projet à réaliser. Avant d'être référé par l'équipe de Réno-assistance, l'entrepreneur a fait l'objet d'une vérification «à 360°». Une firme spécialisée est responsable entre autres de vérifier:

- s'il est titulaire d'une licence RBQ (Régie du bâtiment du Québec) valide;
- s'il est détenteur d'une assurance-responsabilité en vigueur;
- si des plaintes ont été déposées contre lui à l'Office de la protection du consommateur;
- son historique judiciaire, sa solvabilité, etc.

Au cours du processus de soumissions, les clients sont invités à répondre à un petit questionnaire en lien avec l'entrepreneur rencontré afin d'indiquer comment la rencontre s'est déroulée. Un suivi du dossier est ensuite effectué à la fin des travaux afin de connaître le taux de satisfaction du client sur plusieurs aspects, comme le respect de la soumission, la qualité de la construction, l'expérience générale, etc.

Est-ce là l'assurance que les travaux se dérouleront sans problème? Pas nécessairement. Le manque de ponctualité des ouvriers et l'incompatibilité de caractère, par exemple, sont des facteurs difficiles à contrôler. L'entrepreneur peut cependant être rappelé à l'ordre en cas de manquement. Même s'il est impossible de garantir l'harmonie des parties à 100%, les services offerts par Réno-assistance ont fait leurs preuves et permettent de prévenir et de minimiser les problèmes, les maux de tête et les prises de bec...

Si vous préférez entreprendre les démarches vous-même, l'idéal est d'obtenir au moins trois soumissions, histoire de pouvoir faire des comparaisons. Soyez prêt à poser les bonnes questions et à faire les bonnes vérifications (permis, assurances, références). Un bon entrepreneur ne devrait pas hésiter à vous fournir ces informations. Prenez le temps de communiquer avec d'anciens clients pour savoir s'ils sont satisfaits de l'ouvrage effectué et des services obtenus. Enfin, demandez un devis et assurez-vous que le contrat est signé avant de donner le feu vert aux travaux.

LES AMÉLIORATIONS ET L'INSPECTION

L'inspecteur de la ville a-t-il le droit de visiter ma propriété à la suite d'une demande de permis pour des travaux d'amélioration ?

On ne doit pas être surpris si un inspecteur municipal se présente sur le chantier une fois les travaux entamés. Puisque les villes sont responsables de l'émission des permis, elles doivent aussi veiller à ce que les travaux respectent les normes en vigueur. Elles doivent aussi s'assurer que l'ouvrage en cours est conforme aux plans et aux devis qui lui ont été soumis lors de la demande de permis.

L'inspecteur pourra vérifier si :

- le permis est bien en vue sur le chantier ;
- les travaux sont conformes et s'ils sont effectués par des ouvriers détenteurs de licences et de permis valides.

Lorsque les travaux concernent la plomberie, l'électricité ou le gaz, ils peuvent faire l'objet d'une vérification des inspecteurs de la Régie du bâtiment du Québec.

À la suite d'une demande de permis, il est possible que vous receviez la visite d'un inspecteur au cours des mois suivant la fin des travaux. On apprécie moins ce genre de visite si l'on ne veut pas vendre la propriété, car l'inspecteur qui constate les améliorations faites à la propriété transmettra son rapport à un évaluateur qui, lui, se chargera de déterminer la valeur à ajouter au rôle d'évaluation. Les taxes seront ajustées en conséquence.

Vous pouvez communiquer avec votre assureur pour lui faire part de certaines améliorations apportées à votre propriété. Il sera sans doute heureux d'apprendre que vous avez fait installer un clapet antiretour sur les branchements des appareils sanitaires du sous-sol, que vous avez effectué une mise à jour du système électrique, ou encore que les bardeaux de la toiture ont été remplacés récemment. Dans certains cas, ces améliorations préventives peuvent réduire vos primes d'assurance.

L'ENTRETIEN, UNE SAISON À LA FOIS !

L'achat d'une maison n'implique pas toujours des rénovations. Cependant, qu'elle doive être rénovée, qu'il s'agisse d'une construction neuve ou d'une propriété « clé en main », l'entretien est un incontournable. Pourquoi ? Simplement parce qu'il vaut toujours mieux prévenir que guérir. Par exemple, il vaut mieux refaire les joints de calfeutrage fissurés et endommagés autour des ouvertures avant que l'eau ne s'infiltre à l'intérieur des murs et favorise la prolifération de moisissures.

En hiver

C'est probablement la saison où il y a le moins de choses à faire. La principale tâche au programme ? Déneiger. L'entrée de garage et l'allée qui mène à la maison mises à part, où doit-on déployer des efforts ?

- Devant les fenêtres du sous-sol et les sorties de secours ;
- Devant les grilles d'entrée et d'extraction d'air ;
- Sur la toiture, le cas échéant (voir le chapitre sur la toiture).

En hiver, c'est aussi le temps de vérifier et de nettoyer les différents filtres des appareils de chauffage et de ventilation. En fait, il est recommandé de le faire à peu près tous les trois mois (donc à chaque changement de saison). Aussi, jetez un coup d'œil dans l'entretoit pour voir si de la neige s'y est accumulée. Vérifiez si les pointes de clous qui traversent le support de la couverture sont givrées. Dans l'affirmative, il y a probablement trop d'humidité à l'intérieur de la maison.

Au printemps

Avant que s'amorce la fonte des neiges, assurez-vous du bon fonctionnement de la pompe de puisard; ce serait dommage qu'elle connaisse des ennuis alors que les besoins en drainage culminent.

Une tournée d'inspection s'impose à l'extérieur de la maison afin d'observer les traces que l'hiver aura laissées derrière lui. Vous devez inspecter:

- la toiture et les gouttières;
- les revêtements et les éléments peints, teints et vernis;
- le calfeutrage situé autour des ouvertures (incluant les luminaires ainsi que les entrées et les sorties d'air);
- les portes et les fenêtres.

L'eau résultant de la fonte des neiges doit être évacuée le plus loin possible des fondations. Pour ce faire, débarrassez les gouttières des feuilles et des autres détritus qui s'y sont accumulés pour que l'écoulement de l'eau se fasse aisément. Rallongez les descentes pluviales de façon à ce qu'elles se déversent à au moins 6 pieds de la maison. Aussi, lorsque la couverture de neige aura disparu, examinez le terrassement autour de la maison : le sol doit être légèrement incliné afin de diriger l'eau à l'opposé des fondations. Vérifiez la stabilité des structures, dont les terrasses autoportantes.

Le printemps, c'est aussi le temps du grand ménage! On sort les produits nettoyants, les seaux et les chiffons; on dépoussière et on lave tout à fond. Un nettoyage en règle (filtres, boîtiers des appareils de chauffage et de ventilation, noyau de récupération du ventilateur récupérateur de chaleur) est de mise. À cette liste déjà longue s'ajoutent les travaux d'entretien de la pelouse et du jardin, ainsi que l'ouverture de la piscine, à tout le moins pour ceux qui en sont les heureux propriétaires.

En été

Les revêtements en bois et les autres surfaces peintes exigent un entretien périodique ; vous n'aurez peut-être pas à sortir votre attirail de peinture chaque année, mais la corvée reviendra inévitablement tous les trois à cinq ans. Parce qu'il fait beau et chaud, c'est souvent lorsqu'arrive l'été qu'on décide de se mettre à la tâche, même si les températures printanières et automnales se prêtent parfois mieux aux travaux. Le moment idéal pour passer à l'action est un temps plutôt nuageux, mais sans pluie, et quand la température extérieure oscille entre 10 et 25 °C.

Pour obtenir un résultat à la hauteur de vos attentes, vous devez éviter de peindre en plein soleil, en période de canicule ou lorsque les surfaces sont humides. Ces mêmes recommandations s'appliquent aux travaux de calfeutrage. Notez que, s'il n'est pas à peindre, le revêtement extérieur peut nécessiter un bon nettoyage. La poussière et les polluants s'incrustant dans les surfaces (surtout lorsqu'elles sont poreuses), vous augmenterez leur durée de vie en les gardant propres.

 Conseil

Attention aux nettoyeurs à haute pression ! Car bien qu'ils permettent de déloger efficacement la saleté, ils peuvent aussi causer de sérieux dommages aux surfaces si le jet d'eau est trop puissant (la pression pouvant atteindre jusqu'à 3000 lb/po^2). Faites un test au préalable sur une partie peu visible du revêtement ou de la terrasse.

Comme si ce n'était pas assez, il vous faudra aussi prévoir quelques heures chaque semaine pour tondre le gazon, arroser les platebandes et entretenir le potager. De même, de la fin juin à la mi-août, vous devrez planifier la taille de votre haie de cèdres.

À l'automne

C'est le moment de tout ranger (mobilier, outils de jardin, accessoires pour la baignade, etc.) et d'hiverniser la piscine. Le ramassage des feuilles est aussi au programme. Lorsque les arbres sont complètement dénudés, on procède notamment au nettoyage des gouttières et des puits de fenêtre. Vous devrez aussi:

- retirer les moustiquaires et installer, s'il y a lieu, les contre-fenêtres;
- vérifier l'état général de la maison (incluant la toiture et les combles);
- faire vérifier les appareils de chauffage;
- faire ramoner la cheminée;
- purger le robinet extérieur, si nécessaire, et remiser le tuyau d'arrosage;
- nettoyer les grilles d'entrée et d'extraction d'air, au besoin.

On recule l'heure au printemps, et on l'avance à l'automne. Or, c'est justement aux changements d'heure qu'on recommande de procéder à la vérification et au remplacement des piles qui alimentent les avertisseurs de fumée et de monoxyde de carbone.

Outre les feuilles à ramasser, il faudra prévoir une dernière tonte de la pelouse avant l'arrivée de l'hiver et l'installation de protections hivernales (tard en novembre) pour les arbustes plus vulnérables. Certains propriétaires installent aussi une bande de toile géotextile sur le parterre de la façade de leur maison afin de protéger la pelouse des opérations de déneigement et des sels de déglaçage.

REMERCIEMENTS

L'auteure tient à remercier les professionnels suivants pour leur expertise et pour le temps qu'ils ont consacré à valider les informations publiées dans ce livre.

Janick Marinier, T.P.
Services d'inspection, expertises légales, conseils techniques
Inspex Solutions Bâtiments
514 518-6903
www.inspexsolutions.com

Gilles Perreault
Consultant spécialisé en bâtiments
CSB
514 642-0333
gp@consultsb.ca

Gilles Lachance
Contremaître plombier à la Ville de Montréal
Professeur au Collège d'enseignement en immobilier

Mario Grenier
Entrepreneur électricien et inspecteur en bâtiment
Services électriques MG Rive-Sud / Inspectabec
514 972-5329
www.inspectabec.com

Sylvie Lavoie
Évaluatrice agréée, membre de l'Institut canadien des évaluateurs AACI, P. App.
Évaluation Immobilière Rive-Nord
450 621-1519
www.evaluationimmobiliererive-nord.ca

Me Esther St-Amour
Avocate et associée
Crochetière, Pétrin
514 354-3645
www.crochetiere-petrin.qc.ca

Rock Labbé
Plâtrier et peintre en bâtiment
Coach en rénovation, auteur des DVD *Finir son sous-sol* et *Le guide pratique de la finition intérieure*
418 456-5211
www.rocklabbe.com

Jonathan Lecault
Conseiller en rénovation pour Réno-Assistance
514 360-7366
www.renoassistance.ca

Anne-Julie Mercille et Stephan Denis
Inspecteurs en bâtiment
Co-Inspec
514 690-7911 et 514 730-0278
www.inspectionsenbatiment.com

RÉFÉRENCES ET BIBLIOGRAPHIE

Livres

BERGERON, André. *La rénovation des bâtiments*, s.l., Les Presses de l'Université Laval, 2000, 419 p.

Black & Decker. *Le guide complet du bricolage et de la rénovation*, Montréal, Les Éditions de l'Homme, 2010, 558 p. (Collection Guide complet du bricoleur)

Black & Decker. *Les toitures et parements*, Montréal, Les Éditions de l'Homme, 2005, 253 p. (Collection Guide complet du bricoleur)

Black & Decker. *Les travaux d'électricité*, Montréal, Les Éditions de l'Homme, 2007, 334 p. (Collection Guide complet du bricoleur)

RÉGIE DU BÂTIMENT DU QUÉBEC, et CONSEIL NATIONAL DE RECHERCHES DU CANADA. *Code de construction du Québec: Chapitre 1: Bâtiment, et Code national du bâtiment: Canada 2005 (modifié)*, 2e édition, Canada, 2008, volume 1.

Feuillets d'information *Votre maison*
Société canadienne d'hypothèques et de logement (SCHL), www.schl.ca

Votre maison: Améliorations éconergétiques de l'enveloppe des maisons, s.l., Société canadienne d'hypothèques et de logement, 2012, 10 p.

Votre maison: Avant d'améliorer l'efficacité énergétique de votre maison: l'enveloppe du bâtiment, révision 2007, s.l., Société canadienne d'hypothèques et de logement, 2000, 8 p.

Votre maison: Avant de rénover vos portes et vos fenêtres, révision 2008, s.l., Société canadienne d'hypothèques et de logement, 2000, 8 p.

Votre maison: Avant de rénover votre sous-sol: aspects structuraux et conditions du sol, révision 2008, s.l., Société canadienne d'hypothèques et de logement, 2000, 8 p.

Votre maison: Avant de rénover votre sous-sol: problèmes d'humidité, révision 2008, s.l., Société canadienne d'hypothèques et de logement, 2000, 8 p.

Votre maison: Avant de réparer ou de remplacer des matériaux: les murs extérieurs, révision 2008, s.l., Société canadienne d'hypothèques et de logement, 2000, 8 p.

Votre maison: Avant de réparer ou de remplacer le revêtement du toit, révision 2006, s.l., Société canadienne d'hypothèques et de logement, 2000, 8 p.

Votre maison: Combattre la moisissure: guide pour les propriétaires-occupants, révision 2008, s.l., Société canadienne d'hypothèques et de logement, 2001, 10 p.

Votre maison: Comment bien ventiler votre maison, s.l., Société canadienne d'hypothèques et de logement, 2009, 6 p.

Votre maison: Comprendre l'interaction des arbres, du sol d'argile sensible et des fondations et agir en conséquence, révision 2005, s.l., Société canadienne d'hypothèques et de logement, 2001, 10 p.

Votre maison: Comprendre la terminologie des fenêtres, révision 2007, s.l., Société canadienne d'hypothèques et de logement, 2001, 6 p.

Votre maison: Évaluation des travaux de rénovation, révision 2008, s.l., Société canadienne d'hypothèques et de logement, 2000, 10 p.

Votre maison : L'achat d'une maison avec un puits et une installation septique, révision 2008, s.l., Société canadienne d'hypothèques et de logement, 2003, 12 p.

Votre maison : L'entretien d'un ventilateur récupérateur de chaleur (VRC), révision 2010, s.l., Société canadienne d'hypothèques et de logement, 1997, 4 p.

Votre maison : L'enlèvement de la glace sur les toitures, révision 2006, s.l., Société canadienne d'hypothèques et de logement, 1996, 8 p.

Votre maison : L'isolation de votre maison, révision 2009, s.l., Société canadienne d'hypothèques et de logement, 1999, 6 p.

Votre maison : Le monoxyde de carbone, révision 2011, s.l., Société canadienne d'hypothèques et de logement, 2000, 8 p.

Votre maison : Les adoucisseurs d'eau, révision 2009, s.l., Société canadienne d'hypothèques et de logement, 2003, 6 p.

Votre maison : Les revêtements de sol, révision 2008, s.l., Société canadienne d'hypothèques et de logement, 2003, 8 p.

Votre maison : Les thermostats programmables, révision 2009, s.l., Société canadienne d'hypothèques et de logement, 2006, 4 p.

Votre maison : Un jardin pluvial pour mieux gérer les eaux de ruissellement dans votre cour, révision 2011, s.l., Société canadienne d'hypothèques et de logement, 2004, 12 p.

Votre maison : Ventilation du vide sous toit, humidité dans le vide sous toit et formation de barrières de glace, révision 2007, s.l., Société canadienne d'hypothèques et de logement, 1998, 8 p.

Votre maison : Votre installation septique, révision 2008, s.l., Société canadienne d'hypothèques et de logement, 2001, 10 p.

Autres publications de la SCHL

Glossaire des termes d'habitation : L'ABC des termes d'habitation SCHL, révision 2001, s.l., Société canadienne d'hypothèques et de logement, 1982, 117 p.

L'air et l'humidité : guide du propriétaire : problèmes et solutions, révision 2009, s.l., Société canadienne d'hypothèques et de logement, 2004, 26 p.

Manuel du propriétaire-occupant. Ottawa, Société canadienne d'hypothèques et de logement, 2003, 186 p.

Publications Éconergie

Ressources naturelles Canada, Office de l'efficacité énergétique, www.rncan.gc.ca/energie/bureaux-labos/office-efficacite-energetique

OFFICE DE L'EFFICACITÉ ÉNERGÉTIQUE et RESSOURCES NATURELLES CANADA. *Climatiser sa maison*, révision 2006, s.l., Publications Éconergie, 48 p.

OFFICE DE L'EFFICACITÉ ÉNERGÉTIQUE et RESSOURCES NATURELLES CANADA. *Emprisonnons la chaleur*, révision mars 2007, s.l., Publications Éconergie, 136 p.

OFFICE DE L'EFFICACITÉ ÉNERGÉTIQUE et RESSOURCES NATURELLES CANADA. *Portes, fenêtres et puits de lumière éconergétiques pour le secteur résidentiel*, révision octobre 2010, s.l., Publications Éconergie, 37 p.

OFFICE DE L'EFFICACITÉ ÉNERGÉTIQUE et RESSOURCES NATURELLES CANADA. *Ventilateurs-récupérateurs de chaleur*, révision février 2012, s.l., Publications Éconergie, 40 p.

Notes et textes de cours

Formation inspecteur en bâtiment, Collège d'enseignement en immobilier, 2012.

Documents en ligne

Association des professionnels de la construction et de l'habitation du Québec (APCHQ). www.apchq.com

Benjamin Moore. www.benjaminmoore.ca/fr

BERNIER, Anne-Marie. *Les plantes grimpantes: une solution rafraîchissante,* Montréal, Centre d'écologie urbaine de Montréal, 2011. Consulté en juillet 2014: www.ecologieurbaine.net/documents/les_plantes_grimpantes_une_solution_rafraichissante_0.pdf

BOUCHARD, Louise. «Réparer votre entrée en asphalte», magazine *Rénovation-Bricolage*, 23 mai 2013. Consulté en juillet 2014: www.casatv.ca/publications/renovation-bricolage/reparez-votre-entree-en-asphalte

CAA, services-conseils en habitation. www.caaquebec.com/habitation

«Comment chauffer un garage en hiver», *Le Droit*, 12 février 2011. Consulté en juillet 2014: www.lapresse.ca/le-droit/habitation/en-vedette/201102/12/01-4369631-comment-chauffer-un-garage-en-hiver.php

Commission de la santé et de la sécurité au travail (CSST). www.csst.qc.ca

COMPRENDRE CHOISIR, *Guides pratiques maison-travaux*. www.comprendrechoisir.com

Comspec, service d'inspection de bâtiments. www.comspecinspection.com

COMTOIS, Pierre-Yves. «Plantes grimpantes et dégradation des murs», *La ruelle verte,* 2014. Consulté en juillet 2014: www.ruelleverte.com/2012/03/12/plantes-grimpantes-et-degradation-des-murs/

Écohabitation, la ressource écologique en habitation. www.ecohabitation.com

Éconeau, système de récupération d'eau de pluie. www.econeau.com

Éducaloi, la loi expliquée en un seul endroit. www.educaloi.qc.ca

FAUCHER, Marjolaine. «Réglementations, permis et plans», *Protégez-Vous*, mai 2013. Consulté en juillet 2014: www.protegez-vous.ca/maison-et-environnement/construire-sa-terrasse/reglementations-permis-plans.html

GILBERT, Cindy. «Clôture mitoyenne, qui paie quoi?», *Micasa*, 9 octobre 2012. Consulté en juillet 2014: www.micasa.ca/fr/nouvelles-immobilieres/maison-passion/cloture-mitoyenne-qui-paie-quoi

Guide Perrier. www.guideperrier.com

Info-Excavation. www.info-ex.com

Institut canadien des évaluateurs. www.aicanada.ca/fr